GRANDES NOVELISTAS

Belva Plain

LA VUELTA AL HOGAR

Traducción de Elizabeth Casals

DE LA MISMA AUTORA
por nuestro sello editorial

■

DILEMA DE AMOR
COSECHA DE INFORTUNIOS
TESOROS DE LA VIDA
VERDADES OCULTAS
AMANECER
LA CAJA DE MÚSICA
LA COPA DE ORO
TIERRA DE PROMISIÓN
PROMESAS

Belva Plain

LA VUELTA AL HOGAR

EMECÉ EDITORES

820-3(73) Plain, Belva
PLA La vuelta al hogar. - 1a ed. - Buenos Aires : Emecé, 1999.
208 p. ; 22x14 cm. - (Grandes novelistas)

Traducción de: Elizabeth Casals.

ISBN 950-04-1992-0

I. Título - 1. Narrativa Estadounidense

Emecé Editores S.A.
Alsina 2062 - Buenos Aires, Argentina
E-mail: editorial@emece.com.ar
http: // www.emece.com.ar

Título original: *Homecoming*

Diseño de tapa: *Eduardo Ruiz*
Foto de tapa: *Debra Lill*
Fotocromía de tapa: *Moon Patrol S.R.L.*
Primera edición: 6.000 ejemplares
Impreso en Printing Books,
Carhué 856, Temperley, mayo de 1999

IMPRESO EN LA ARGENTINA / PRINTED IN ARGENTINA
Queda hecho el depósito que previene la ley 11.723
I.S.B.N.: 950-04-1992-0
9.046

Capítulo 1

El escritorio siempre estaba cubierto de cartas recibidas y para enviar. Pedidos de sociedades benéficas, de políticos nacionales, estatales o locales, cuentas y cartas de amigos... todos llegaban a montones. A veces a Annette le parecía que el mundo entero se ponía en contacto con ella y le pedía respuesta.

Tomó la pluma para terminar la última de las notas. La letra precisa e inclinada se extendía entre amplios márgenes; el papel era suave como ropa limpia y planchada y el monograma azul oscuro, decorativo sin tener demasiados ornamentos. Todo el conjunto resultaba agradable, incluyendo el dorso del sobre, que llevaba su nombre impreso: Señora de Lewis Martinson Byrne, y debajo la dirección. El correo electrónico podía ser el medio de comunicación de la actualidad, pero todavía no existía nada tan satisfactorio como enviar o recibir una carta bien escrita. Asimismo, en la actualidad muchas mujeres preferían no precisar si eran casadas o solteras. Sin embargo, Annette seguía prefiriendo ser "señora de" y punto.

Después de cerrar el sobre, lo colocó sobre la prolija pila y suspiró.

—Listo. He terminado. —Y se puso de pie para estirarse. A los ochenta y cinco años, aunque el médico le asegurara que físicamente tenía diez años menos, era de esperar sentirse un poco rígida después de haber estado sentada tanto tiempo. "En realidad, puede esperarse casi cualquier cosa", pensó, burlándose de sí misma.

Los jóvenes se ríen de los ancianos. Una vez, cuando Annette tenía menos de diez años, su madre la llevó a visitar a una mujer que vivía en el camino rural. Le parecía que había sido ayer, como le sucedía casi siempre ahora.

—Ella es muy anciana, Annette, tiene por lo menos noventa años. Era una mujer casada y con hijos cuando Lincoln fue presidente.

Ese comentario no significó nada para Annette.

—Mi sobrino me llevó a pasear en su máquina —comentó la anciana—. Fuimos todo el camino sin caballo. —Maravillada, repetía: —¡Sin caballo!

Ese comentario le pareció ridículo a Annette.

—Así que ahora es mi turno —dijo en voz alta—. Y, sin embargo, en mi interior, no me siento diferente de cuando tenía veinte. —Volvió a reírse. —Sólo tengo un aspecto diferente.

Ahí estaba ella entre las ventanas, enmarcada en dorado, eternamente rubia y de treinta años, con un vestido de terciopelo rojo. Lewis había querido colocar el retrato en un sitio prominente del salón y no privado como allí, en la biblioteca. Pero ella se opuso: los retratos eran cosas íntimas que no debían mostrarse a todo el mundo.

Frente a ella y en otro marco idéntico estaba Lewis, con la misma expresión de toda la vida: alerta, amistosa y un poco curiosa. Con frecuencia, cuando estaba a solas, Annette hablaba con él. "Lewis, te habrías reído (o entristecido o enojado) con lo que vi hoy. Lewis, ¿qué opinas? ¿Estás de acuerdo?"

Hacía diez años que Lewis había muerto; sin embargo, su presencia todavía reinaba en la casa. Era la única razón, o la principal, por la cual Annette nunca se había mudado.

Era una casa con vida, llena del bullicio de niños, amigos y música, y todavía lo seguía siendo. Los *scouts* tenían reuniones en el granero convertido para este fin, donde también se dictaban clases de ciencias naturales. En una época el sitio había sido una granja, después una hacienda, una de las menos lujosas en medio de un espacioso paisaje situado a dos o tres horas en auto desde Nueva York. La compraron apenas la incipiente prosperidad se lo permitió. El terreno, la colina, la laguna y la pradera constituían tesoros que ya habían sido donados al pueblo después de la muerte de Annette, para ser preservados como reserva natural. Ésa había sido idea de Lewis. Como le gustaban tanto las plantas y los árboles, había construido el invernadero en un extremo de la cocina. Todos sus árboles navideños eran reales en esa época, y ahora, cuando uno miraba hacia la pradera, veía una frondosa arboleda de pinos de Valsaín y píceas de cincuenta años de antigüedad.

Por supuesto que era demasiado grande, pero

Annette amaba esa casa. En especial esa habitación. ¿Cuál era la palabra para describirla? ¿Acogedora, quizá? No era la mejor definición porque de algún modo implicaba la existencia de demasiados objetos: demasiadas colchas tejidas a mano, plantas y almohadones. Las paredes de esa habitación estaban cubiertas de libros: novelas, biografías, poesía e historia. Los colores predominantes eran de la gama de los azules. En ese día de invierno, una amarilis roja oscura florecía en una maceta de barro sobre el escritorio.

En un rincón se encontraba un enorme canasto para los dos perros King Charles spaniel. Lewis y Annette siempre habían tenido esa raza canina. Roscoe, un perro mestizo, casero, desgarbado y de ojos tristes, tenía cama propia. Dependía por completo de Annette, quien lo había encontrado abandonado y hambriento en una playa caribeña. Annette se preguntaba si después de vivir tantos años tan cómodamente, el perro tendría algún recuerdo de su triste pasado. Annette pensaba mucho en los animales. De hecho, pensaba en muchas cosas... Pero era mejor que se apresurara con esa pila de cartas si es que quería que las recogieran hoy.

La mañana era apacible, una de esas frías mañanas de invierno sin viento, en que la laguna estaba quieta y lustrosa como acero inoxidable. Pronto, si persistía el frío, iba a helar. Annette se puso una abrigada chaqueta y, seguida por los perros, se dirigió hasta el final del sendero, donde estaba el buzón.

Capítulo 2

—No dije que no iría, papá. Sólo que no tenía ganas de ir.

—Cynthia, te entiendo. Todos sufrimos por ti. No puedes imaginarte cuánto.

A través de los kilómetros Cynthia oyó el suspiro de su padre y pudo imaginarlo, sentado en su butaca, muy alto encima del Potomac, con el teléfono en la mano y la vista del Jefferson Memorial delante de sí. Sabía que sus padres sufrían como quien sufre por una víctima de un bombardeo o de una amputación, sin tener verdadero conocimiento del dolor.

La nota de la abuela yacía sobre su falda, escrita, por supuesto, en el mismo y conocido papel que acompañaba cada salutación y cada regalo de cumpleaños desde que Cynthia sabía leer.

Ven el sábado, a la hora que te parezca conveniente, a pasar el día conmigo, a cenar y a dormir. Quédate el tiempo que quieras si no hay otra cosa que prefieras hacer.

La abuela era maravillosa, con su dulzura, su buen ánimo y sus anticuadas costumbres. Pero Cynthia no estaba de humor para eso. Empacar un bolso, dormir en una cama diferente, incluso esas sencillas tareas le parecían demasiado en ese momento.

—¿Mamá está ahí? —le preguntó a su padre.

—No, está en uno de esos tés de caridad. A tu madre, típica neoyorquina, no le ha costado nada mudarse de la ciudad. Y a mí, que soy un empleado itinerante, me llevó mucho más. Sabes, trabajar para el gobierno es muy diferente del mundo de los negocios.

Cynthia se dio cuenta de que su padre seguía conversando porque no quería colgar, perder esa conexión con ella. Quería respuestas a preguntas que, por lo general, le costaba formular. Ahora preguntó:

—Odio sacar este tema pero, ¿has tenido alguna noticia de Andrew?

—No —respondió Cynthia con amargura—. No desde su última e inútil disculpa, y eso fue hace más de un mes, cuando pedí el cambio de la línea telefónica. Al parecer todavía no consiguió abogado. Y el mío dice que no podemos tardar mucho más para iniciar el divorcio.

—¿Qué diablos lo está demorando? —Y como ella no respondió, agregó: —¡Ese desgraciado! ¡Y siempre me agradó tanto!

—Lo sé. Era muy simpático, ¿no es verdad? Peor para mí.

—Dime, ¿todavía sigues viendo a ese... doctor?

—¿Te refieres al psiquiatra? No, lo dejé la semana pasada. Francamente, trabajar en el comedor para desamparados me hace mucho mejor.

—Quizá tengas razón.

No le sorprendía que su padre opinara así, ya que desaprobaba la compasión por uno mismo, la debilidad y el fracaso. Especialmente condenaba el fracaso matrimonial. Pero era demasiado amable para decirlo. Cynthia también lo sabía.

—Quizá no lo creas, pero esta visita te vendrá bien, Cindy. Haremos las largas caminatas de siempre por la laguna, en compañía de los perros de la abuela, después iremos hasta el pueblo y volveremos. Tu madre y yo tenemos muchas ganas de ir. ¿Irás?

—¿Qué se celebra? No es el cumpleaños de la abuela.

—Nos echa de menos. Así de sencillo. Si tienes tiempo, cómprale una de esas cajas de bombones de chocolate que a ella tanto le gustan, ¿puede ser? Tu madre le compró un chal de seda, aunque no sea su cumpleaños. Nosotros tomaremos el autobús el viernes temprano. Me temo que tendrás que alquilar un coche. Es una pena que le hayas dejado el Jaguar a Andrew.

—Que lo disfrute. ¿Quién necesita auto en Nueva York? De todos modos, él lo compró con su dinero.

—Bien, bien, querida. Te veremos el viernes que viene.

¿Qué sentido tenía discutir? Era más fácil acceder y listo.

Cynthia permaneció sentada, con las manos en el regazo. El dedo anular de la mano izquierda mostraba una marca de piel blanca, al igual que el dedo de la mano derecha, donde el diamante de compromiso alguna vez había brillado. Cualquiera pensaría que, después de cuatro meses, la piel se habría oscurecido. Y se quedó allí sentada, mirándose las manos.

—Deberían ser fotografiadas —le decía siempre Andrew— o incluso esculpidas. Tienes manos clásicas.

Él la consideraba hermosa. Ella sabía muy bien que no lo era, por lo menos no en el sentido clásico. Era delgada, con abundante cabellera oscura y piel fina y clara. Se acicalaba muy bien. Como trabajaba en una revista de modas, sabía resaltar sus cualidades.

—Me dejaste sin aliento —le dijo él esa primera noche—. No quería ir a otro aburrido cóctel, pero era una obligación. Y ahí estabas, la primera persona que vi apenas entré. Me detuve y me quedé mirándote. En medio de la muchedumbre ruidosa, que se movía a los empujones, con vestidos excesivamente elegantes, estabas tú, alta y serena en el vestido azul oscuro. ¿Recuerdas?

Ella recordaba todo. Todo. Como siempre, vestía azul oscuro. Era su característica. La gente sofisticada en Nueva York se vestía de negro, así que ella llevaba azul oscuro. Diferente, pero no tanto.

—Brillabas en medio de todos ellos —él siempre decía, pues le gustaba recordar esa ocasión—, con esa expresión que tienes cuando algo te resulta divertido pero eres demasiado educada para demostrarlo. No era un aire de superioridad —tú no eres así—, sino de curiosidad, como si te preguntaras cuál era el objetivo de tanta competencia y de tantos nervios.

Qué curioso. El abuelo Byrne también tenía esa expresión.

—Me encanta tu serenidad —decía Andrew—. Tu manera de saludar, no como la gente que se saluda gritando con falso entusiasmo. Amo que puedas sentarte con tu mano en la mía y permanecer en silencio hasta que la última nota de la música cesa.

Él tenía un rostro hermoso, nariz enérgica, tez suave y morena, y como contraste, ojos claros y verdes, de pestañas oscuras y mirada pensativa. Recordarlo ahora le resultaba insoportable. Se había producido una metamorfosis. Todo lo dulce había pasado a ser amargo como la hiel, enfurecedor...

Se puso de pie y fue hacia la ventana. Nueva York, en todo su esplendor, esa tarde era simplemente un conjunto de torres y campanarios, un páramo de piedra prohibido bajo el cielo húmedo y gris. Si la lluvia no hubiese sido torrencial, Cynthia habría caminado kilómetros, hasta caer exhausta.

—¿Qué voy a hacer? —se preguntó en voz alta—. Me estoy convirtiendo en un estorbo para mí misma y no debo serlo para otras personas. No debo.

Cynthia se dio vuelta, miró a su alrededor, buscando, como si entre los restos de su vida destruida pudiera encontrar alguna señal, una explicación o alguna orientación. Pero los cajones de madera frutal, las alfombras persas y las pinturas del Hudson River School, con sus suaves colinas y campos nevados, esas posesiones de buen gusto propias del hogar de un joven y próspero banquero, ninguna de ellas tenía la explicación del naufragio. Ninguna.

Cynthia avanzó por el corredor. Era un tramo largo, treinta y un pasos hasta el final. O más, si se contaba desde la pared más lejana del living. Si empezaba a las dos de la mañana, bien podía recorrer un kilómetro y medio antes del amanecer, y con suerte, lograba sentir ganas de dormir.

Más allá del dormitorio, donde ahora en un suntuoso lecho color musgo dormía sola, estaban las dos puertas cerradas; las personas que limpiaban ese par de habitaciones tenían órdenes de cerrar las puertas al terminar la limpieza y de mantenerlas así. De repente Cynthia tuvo la necesidad de abrirlas y mirar. Los cuartos, excepto por el color, rosa uno y azul el otro, eran idénticos; cada uno contenía una cuna, una mecedora grande, un armario con juguetes y una hilera de muñecos de peluche sobre una repisa. Ahora las persianas de las ventanas estaban bajas, de modo que la luz era tenue, reposada y lúgubre, como en las habitaciones donde descansan los muertos. Y así era...

¿Recordar? Sí, recordaba todo de principio a fin.

—Son mellizos —anunció el médico con sonrisa feliz. La gente siempre parecía sonreír cuando hablaba de mellizos, como si tenerlos fuera, en cierto modo, cómico y bonito, una broma de la naturaleza. "Bueno, quizá lo son", Cynthia había pensado de regreso a su casa. Y se había reído para sus adentros.

Era un intenso día de otoño, y Cynthia caminaba con energía. En el aire brillante imaginó un tenue olor a humo, aunque quién sabe de dónde vendría, pues seguramente allí, en el lado este de Manhattan, nadie quemaba hojas en el patio. Sin embargo, había crisantemos en las florerías. Así que compró un ramo de crisantemos blancos miniatura. Después, en la panadería, compró una caja de galletas con trozos de chocolate. Sería su último antojo hasta que nacieran los mellizos. En su casa, después de arreglar las flores sobre la mesa, puso el juego de plata de su casamiento, encendió velas, sirvió vino y esperó a Andrew. Como trabajaba en la revista hasta tarde, no podía servirle una cena tan formal con mucha frecuencia.

Andrew se entusiasmó.

—¡Grandioso! ¡Grandioso! Por eso empezabas a parecer un elefante bebé. Pensar que cuando nos casamos, casi podía rodear tu cintura con los dedos.

La besó en los labios, en el cuello y en las manos, le dijo qué feliz se sentía y qué bendición era tener mellizos. Casi de inmediato empezó a hacerse cargo de todo.

—Irás y volverás en taxi a la revista todos los días. Insisto. Pronto será invierno, y las calles se ponen resbalosas, hasta con la más mínima nieve.

—Me estás dando órdenes —protestó ella en broma.

Pero él hablaba en serio.

—Sí, y seguiré haciéndolo. Te arriesgas demasiado. Seguramente también vas a querer ir a esquiar.

—Me encanta cuando frunces el entrecejo. ¡Tan serio! —Cynthia acarició las dos líneas verticales entre los ojos de Andrew. —Me encantan tus cejas parejas y cómo el pelo te cae a la izquierda de la frente. ¿Por qué siempre a la izquierda? Y me encanta...

—Mujer tonta. Si hubieras buscado un poco mejor, habrías encontrado un hombre más apuesto.

Andrew ya estaba haciendo planes.

—Debemos empezar a buscar ya mismo un departamento más grande. Dos cunas nunca entrarán en esa habitación tan pequeña.

Dos cunas, sábanas, un coche doble, y otro ajuar completo, más tarde otra silla alta y un paseador doble, todas estas cosas y muchas otras fueron excusa para que los abuelos visitaran una y otra vez las tiendas de bebés.

Cynthia siempre se sentía agradecida por su buena suerte. A pesar de que nunca había estado rodeada de otra cosa, era capaz de imaginar con mucha claridad cómo era no tenerla. Cuando se fue a una prestigiosa universidad, en primer lugar se sintió afortunada por haber podido aprobar los exámenes de ingreso y después por poder asistir sin las presiones económicas que afligían tanto a muchos otros estudiantes. Al volver a casa durante las vacaciones, se daba cuenta de lo cómodo y hermoso que era ese hogar.

Y no hubo ningún impedimento cuando Andrew y ella se conocieron. Las dos familias, al ser similares, se llevaron bien en seguida; cada una satisfecha con la elección de su hijo. El casamiento se llevó a cabo en seguida; como estaban seguros, no tuvieron necesidad de probarse con una convivencia previa. Así que en una ceremonia tradicional, con Cynthia usando el encaje de su madre y rosas blancas, se casaron en una antigua e imponente iglesia gótica, al compás de una trompeta.

Y ahora, con la misma facilidad, estaban planeando la llegada de sus mellizos.

Un día, cerca de la primavera, el médico les dio otra noticia.

—¿Sabes, Cynthia? Tienes un varón y una niña ahí adentro —le informó el médico, un hombre mayor, con sonrisa pícara—. Lo planeaste bien, ¿no es verdad? Así hay que hacerlo.

Cynthia estaba extática.

—¡No puedo creerlo! ¿Está seguro?

—Claro que sí.

Ahora iban a necesitar dos dormitorios extra, pues no se podía tener a un varón y una niña juntos para siempre. En su imaginación, mientras caminaba a casa en esa tarde tibia, vio cómo iban a estar decoradas los cuartos: ¿cowboys en uno y bailarinas en el otro? No, era demasiado vulgar. Y en cuanto a los nombres: ¿que los dos comenzaran con la misma letra, como por ejemplo *Janice* y

Jim? No, eso ya había pasado de moda. ¿Qué tal Margaret, o simplemente Daisy, que era el nombre de su madre, o quizás Annette, como la abuela? Que Andrew eligiera el nombre del varón. ¡Tantos problemas hermosos que resolver!

En esa oportunidad había un ramo de tulipanes carmesí junto a la hielera con el vino cuando Andrew llegó a casa.

—Vamos a necesitar una casa muy grande —dijo él—. No hay que olvidar el cuarto de la niñera.

Por supuesto, como ella iba a seguir trabajando necesitarían una niñera, aunque ambos padres decidieron que dedicarían los fines de semana a sus hijos.

Los meses restantes estuvieron dedicados al nuevo departamento. En un piso alto, donde podía verse el parque, este nuevo hogar estaba situado en uno de los sitios más lujosos de la ciudad. Quizá, pensaba Cynthia, un lujo más grande de lo debido. Pero Andrew no opinó igual.

—No es descabellado —le aseguró—. Los dos trabajamos y nos va bien. Y aunque tú no trabajaras podríamos arreglarnos. Tendríamos que recortar algún gasto. Ésta es una inversión, una casa permanente para los cuatro, ¿o quizá para más?

En el nacimiento, como se esperaba, no hubo complicaciones. Timothy y Laura, que juntos pesaron cuatro kilos y medio, llegaron un ventoso día de junio, a una hora muy conveniente, decía Cynthia, entre cuatro y media y cinco. Así su padre y los abuelos, chochos, pudieron celebrar en la cena. Evidentemente no eran mellizos idénticos, pero lo parecían: tenían los ojos de Andrew, la barbilla con hoyuelo de Cynthia y, como ella, una cantidad increíble de pelo oscuro.

A la segunda mañana fueron llevados a sus bonitas habitaciones, al cuidado de una afable niñera, María Luz, quien había criado a tres hijos propios en México. Los primeros días hubo una especie de agradable alboroto en la casa, cuando llegaban los amigos a felicitarlos y a admirar a los niños y dejaban una montaña de papel de seda y cajas brillantes que contenían cantidad suficiente de diminutos suéteres, trajes bordados y vestidos para seis bebés. Pero por fin la casa quedó en silencio, el orden se restableció y la rutina se desarrolló con tanta naturalidad que cualquiera hubiera pensado que Timothy y Laura siempre habían vivido allí.

Eran bebés buenos, según María Luz y los libros que Cynthia guardaba en su mesa de luz. Lloraron muy poco, pronto durmieron la noche entera, aumentaron de peso según lo establecido y se sentaron cuando se suponía que debían hacerlo.

Los domingos por la tarde en el parque, la gente se daba vuelta cuando pasaba el coche doble. Y Cynthia, saludable y vigorosa, con ropa nueva y el vientre chato, sentía que ella, que todos, habían sido bendecidos.

—Nunca creí —decía Andrew— que iba a ser tan baboso con mis hijos. Siempre me burlé de esos tipos que llevan fotos de sus hijos en la billetera. Y ahora yo hago lo mismo.

Transcurrieron los meses. El primer cumpleaños llegó con una fiesta, regalos, sombreros de papel y torta glaseada; todo alegremente filmado con la videocámara. Más pronto de lo que habían imaginado el cochecito fue archivado y un paseador doble ocupó su lugar. Laura y Tim ya tenían un año y medio.

Y ahora, en la mente de Cynthia se empezaba a formar un pensamiento: ¿dos serían suficientes? ¿Pronto sería hora de pensar en otro bebé? ¿Por qué no? Le acababan de dar un buen aumento de sueldo. La vida era tan pródiga...

A Cynthia le parecía maravilloso volver a casa al mediodía, con las primeras brisas de invierno en el aire. Caminaba rápidamente con sus zapatillas, mientras balanceaba la bolsa que contenía las compras, además de sus elegantes zapatos de taco alto. Iba a llegar a horario para bañar a los dos, o por lo menos a uno mientras María Luz bañaba al otro. Tim se movía tanto que había que usar un delantal de goma para no terminar empapado.

Cuando llegó a la puerta de su edificio, todavía sonreía por este pensamiento. Joseph, el portero, no le respondió con una sonrisa, cosa poco habitual. En realidad estaba serio. Cynthia se preguntó si estaría enojado por algo. Olvidándose del asunto, entró en el vestíbulo. En el ascensor su vecina del departamento de enfrente se le acercó rápidamente al verla. Ella también tenía una expresión rara en el rostro, tan rara que Cynthia se alarmó.

—Cindy —dijo la mujer.

Algo había ocurrido...

—Subamos. Te estuvieron buscando, pero...

—¿Qué ocurrió? ¿Qué ocurrió?

—Un accidente. Cindy, querida, tendrás que ser...

El ascensor se detuvo, la puerta se abrió y oyó rumores de muchas voces. Allí había una multitud: sus padres, los padres de Andrew y su hermano, su mejor amiga, Louise, su médico, Raymond Marx y...

—¿Dónde está Andrew? —gritó y corrió, empujándolos al pasar.

Andrew estaba sentado en el sofá, con la cara entre las manos. Al oírla, levantó la mirada, llorando.

—¿Andy? —murmuró Cynthia.

—Cindy. Mi amor, un accidente. Hubo un accidente. ¡Ay, Dios mío!

Entonces se enteró. Le pareció sentir gusto a sangre en la boca.

—¿Los bebés?

Alguien la tomó del brazo y la sentó junto a Andrew. El doctor Marx murmuraba mientras apoyaba sus manos firmemente en los hombros de Cynthia.

—Fue un auto, un taxi. Al doblar la esquina, saltó a la acera.

—¿Mis bebés?

El suave murmullo le cortó como una navaja los oídos.

—¿Mis bebés? —volvió a gritar.

—Atropelló el paseador.

—¿No a mis bebés?

—Ay, Cindy, Cindy...

Eran las últimas palabras que recordaba.

Al despertar, se encontró en la cama. Andrew, completamente vestido, estaba acostado a los pies, lo cual le resultó raro. Cuando extendió el brazo, la manga del camisón cayó hacia atrás, lo cual era normal. La luz del Sol iluminaba el techo, lo cual también era normal.

Sin embargo, había algo diferente. Entonces recordó todo; una terrible angustia e incredulidad la invadieron.

—¡No! ¡No ocurrió nada! Es una pesadilla, ¿no es cierto? Es una mentira, ¿no es verdad? ¿Dónde están? ¡Tengo que ver a mis bebés!

Andrew, tratando de tomarla entre sus brazos, se arrodilló junto a la cama. Pero ella estaba fuera de sí; lo empujó y corrió hacia la puerta. Cuando la abrió, una enfermera de blanco se acercó con una jarra y un vaso en las manos.

—Tome esto —dijo con voz suave—. La tranquilizará.

—No quiero tranquilizarme. Quiero a mis bebés. Por el amor de Dios, ¿no me oyen? —El grito fue un aullido. Le destrozó los oídos. "Me estoy volviendo loca", pensó.

—Debe tomar esto, señora Wills. Y usted también, señor Wills. Necesitan dormir. Han estado despiertos desde ayer a la mañana.

—Cynthia —dijo su madre—, querida, toma el remedio. Por favor. Por favor. Vuelve a la cama. El médico dijo...

—Quiero verlos. Ellos me necesitan.

—Querida, no puedes verlos.

—¿Por qué? ¿Por qué?

—¡Oh, Cindy...!

—Entonces están muertos. ¿Es eso? ¿Están muertos?

—¡Oh, Cindy...!

—¿Quién lo hizo? ¿Por qué? ¡Ay, Dios mío, déjame matarlo a él también! ¡Dios mío!

—Por favor, piensa en Andrew. Él te necesita. Se necesitan el uno al otro.

Cynthia no supo si le dieron otra pastilla o una inyección. Sólo vio que la luz desaparecía.

Al despertar era de noche. Las lámparas estaban encendidas. Unas pocas personas hablaban en voz baja. Ahora estaba lo suficientemente alerta para comprender lo que decían.

El taxi que, según los testigos, iba demasiado rápido, había chocado el paseador, que acababa de doblar la esquina. Los mellizos murieron instantáneamente. La pobre María Luz, herida, había sido llevada al hospital en estado de shock y ya le habían dado el alta. Ahora estaba en casa de familiares. Los niños iban a ser enterrados en la parcela de la familia Byrne, en el campo.

Éstos eran los hechos. Eso era todo. Así terminaba. La vida maravillosa había acabado.

La tercera mañana Cynthia se despertó con el ruido de las perchas de su armario.

—Estoy buscando algo que pueda usar. Va a hacer frío. —Era la voz de su madre.

—Tendrá que preguntarle a ella; yo no sé —respondió Andrew.

—El médico le da demasiados sedantes. Está medio dormida todo el tiempo.

—Sólo hasta que termine el funeral. Dijo que no más después de eso.

—Bien, supongo... ¡Ah, te despertaste! Querida, estoy buscando entre tus cosas algo negro.

Ambos estaban vestidos de negro: su madre con un correcto traje y Andy también, con la corbata que había tenido que comprar para el funeral de su tío. ¿Qué importancia tenía lo que uno se pusiera? Lo único apropiado era el hábito de penitencia.

—Nunca uso negro —explicó.

—Querida, de azul marino estarás bien. Con este vestido de lana y una chaqueta abrigada vas a estar bien. ¿Te ayudo a vestirte?

—No, estoy bien, mamá. Gracias.

—Entonces me voy. Tu padre hizo arreglos para el auto. Tenemos tiempo para comer algo rápido antes de partir.

—No tengo hambre.

—Pero debes comer algo. Andrew, haz que coma. Y tú también come algo.

—Se han hecho cargo de todo. Han estado maravillosos —comentó Andrew cuando Daisy se marchó.

—¿Ellos están... quiero decir, Tim y Laura, tenemos que...?

—Ya están ahí. ¡Ay, Dios, Cindy!

Durante largos minutos permanecieron abrazados. Era como si uno o el otro, solos, fuera a caerse. Cuando por fin se deshicieron del abrazo él cerró el vestido de ella en la espalda, ella le trajo a él otro pañuelo y salieron juntos.

En la limosina reinó el silencio, que el padre de Cynthia rompió solamente para dar instrucciones al conductor. La mano derecha de Andrew, unida a la izquierda de ella, descansaba en el asiento entre ambos. Sólo una vez ella habló.

—¿Todo esto te parece real?

En respuesta él sacudió la cabeza. Para ella, la realidad irrumpía por momentos en medio de una turbia sensación de aletargamiento, igualmente aterradora. ¿Estaba a punto de perder la razón?

La realidad era el recuerdo de otra época en otra larga limosina, no negra como esta sino blanca, adornada por uno de sus amigos, un bromista, con un cartel de RECIÉN CASADOS. Ella estaba vestida con un traje de lino verde pálido y al igual que ahora, ambos iban sentados en el asiento trasero, de la mano. La realidad era volver a casa del hospital con un bebé envuelto en mantas en los brazos y otro en los brazos de Andrew.

Cynthia pestañeó con fuerza, para obligarse a borrar esas imágenes. No era momento para recordarlas, considerando el lugar adonde iban.

—Ya casi llegamos —anunció el padre de repente.

El auto giró en una curva y pasó por una playa de estacionamiento llena de autos hasta la calle. La limosina se detuvo en un sendero lleno de gente. Y Cynthia quiso escaparse, esconderse de las miradas compasivas y de las palabras suaves y murmuradas. Sin embargo, todas estas personas eran muy amables al estar allí. Así que comprendió lo que se esperaba de ella.

Se esperaba que tomara del brazo a Andrew, que entrara y fuera hacia los dos pequeños ataúdes blancos. Y así lo hizo.

Su otro yo, externo y ajeno, que la observaba desde hacía dos días, tomó nota de las flores arregladas en coronas, canastas y gavillas, sobre el piso. Todas, al igual que los ramos de lirios sobre los ataúdes, eran blancas. Representaban la pureza y la inocencia.

¡Pero Tim no era inocente! Era un pillo, un bandido que le quitaba la galletita de la mano a Laura y la hacía llorar. Andrew estaba —no, había estado— orgulloso de este niño. "Siempre dice que Tim es un caballero valiente... siempre dice, no; solía decir. Un caballero valiente."

Su otro yo la observaba cuidadosamente. Le decía que recordara todo porque éste sería el último día que iba a tocar a sus hijos, o más bien, las flores y las suaves tapas blancas. Se inclinó hacia adelante para apoyar la punta de los dedos sobre los ataúdes. La madera era suave como el satén... y fría. Los pétalos de lirio también estaban fríos.

Un órgano emitía sonidos suaves y vacilantes, como murmullos o pasos en una habitación donde duerme un niño. Cuando dejó de sonar, una voz varonil comenzó a hablar. Las palabras eran poéticas y familiares, todas referidas a la misericordia y al amor. Oraciones. Palabras hermosas y gentiles. Bienintencionadas. A su espalda se oían los sonidos propios de la gente: las ocasionales carrasperas y los movimientos de personas educadas y bienintencionadas. Cynthia se preguntaba cuándo iba a terminar todo.

Y de repente terminó. El órgano reanudó su suave música, aparecieron unos hombres para llevarse los ataúdes, y alguien le dijo:

—Vamos, Cynthia.

La gente se dirigió a la puerta de dos en dos, con Andrew y Cynthia a la cabeza.

La luz del día les pegó en los rostros. Siguiendo su curso hacia el este, caminaron por el sendero de grava entre el césped marrón, muerto, vestigio del verano pasado, e ingresaron en el cementerio.

Muchas generaciones de la familia Byrne y otros antepasados de Laura y Tim yacían allí, en ese antiguo lugar. Nunca había sido un lugar triste, sólo un poco interesante para una niña cuando la traían para Memorial Day, el 30 de mayo, cuando se recuerda a los soldados caídos en combate, y más interesante cuando tenía edad suficiente para interesarse por la historia. Tantos niños estaban enterrados bajo esas lápidas grises, deterioradas por el tiempo, con sus gastadas inscripciones. Molly, de tres años, ahora con los ángeles. Susannah, de dos. Seguramente como resultado de beber leche en mal estado después del destete. Ethan, de dieciocho meses y dieciséis días. "Dieciocho meses", pensó Cynthia. "Como los míos. Después

weaning

tengo que contar los días. En este momento no puedo pensar y además no hay tiempo."

Pues ya habían llegado al hoyo en la tierra, el agujero rodeado de festones verdes cuyo propósito era ocultar la tierra llena de piedras y terrones que, en consideración a los seres queridos, no iba a ser arrojada hasta que todo el mundo se hubiera marchado.

Sólo quedaban los familiares y amigos íntimos: la abuela, con los ojos rojos e hinchados; la familia de Andrew; la prima Ellen, que lloraba detrás de un pañuelo; su jefe y personal de la revista y... "No, no puedo creerlo. Ahí está la pobre María Luz con un pariente, que de alguna manera logró llegar hasta aquí. Todos vinieron a decir adiós a Laura y a Tim.

"Ay, mi Tim, mi Laura, no vivieron mucho tiempo pero nunca serán olvidados; ni tampoco sus sonrisas, sus primeros dientes, sus largas pestañas, sus llantos, sus mejillas coloradas ni sus manitas regordetas..."

—Amén —dijo la voz amable.

—Amén —respondió el grupo reunido en círculo.

Alguien, la madre de Andrew o la suya, o alguna otra persona, dijo con voz calma:

—Todo terminó, Cynthia.

Una vez más Cynthia tomó la mano de Andrew. Estaba mojada en el dorso, que había utilizado para enjugarse las lágrimas. La gente les abrió paso para dejarlos ir a su auto. Mientras caminaban oyeron los comentarios en voz baja, que parecieron flotar en el aire. “Me dijeron que fue culpa del taxi.” “Yo fui a su boda.” “Es lo más triste que he visto.” Una mujer miró a los ojos a Cynthia, como si quisiera decirle algo pero no supiera cómo hacerlo.

Al final del sendero, entraron en el auto y volvieron a casa como habían venido.

Durante mucho tiempo se aferraron el uno al otro. No importaba cuánto sus padres los amaran y sufrieran con ellos, esta agonía en definitiva pertenecía a Cynthia y a Andrew. Se volvieron muy solitarios. Hacían largas caminatas por el parque en medio de la nieve, donde alguna vez se habían paseado tan orgullosos con sus mellizos, cuando el futuro les pertenecía y el mundo era un campo de flores.

A la tarde escuchaban música juntos. Los noticiarios no tenían ningún significado para ellos. Ahora el departamento estaba sumido en el silencio. Ya no estaban alertas a ningún llanto ni grito. Solamente la música solemne rompía el silencio. Los amigos llamaban y los invitaban con delicadeza a alguna cena o para ver una película; con la misma delicadeza aceptaban las negativas.

Una vez por semana asistían a un terapeuta. Todo el mundo sabía que eso era lo que se hacía cuando la tragedia golpeaba a la puerta. Andrew fue el primero en dejar de ir.

—Lo único que hacemos es ahondar la herida —dijo—. No necesito que nadie me diga que debo continuar con mi vida. ¿No sé bastante bien que si pierdo mi buen trabajo habrá una fila de personas esperando para conseguirlo?

—¿De qué buen trabajo hablas? No necesitamos ningún trabajo.

—Tenemos que comer, Cindy.

—¿Sí? No sé por qué. Nunca tengo hambre y no me importa dónde viva. No necesito nada.

—Lo sé, pero no podemos suicidarnos.

—Si no fuera por ti, lo haría.

Andrew suspiró.

—No digas eso, Cindy.

—¿Por qué no? Es verdad. —Cynthia se levantó y empezó a pasearse desde la ventana hasta la biblioteca y de regreso.

—No debería haber estado trabajando. Debí haber estado cuidando a mis propios hijos. Nunca voy a perdonarme, nunca. Me miro en el espejo y veo la culpa pintada en mi frente. Sí, créelo, en grandes letras rojas: *C-U-L-P-A*.

—Mi amor, estás diciendo una tontería. Fue un accidente terrible que pudo haberte ocurrido a ti, a mí o a cualquiera.

—¿Sabes una cosa? Voy a renunciar a ese estúpido trabajo. Eso voy a hacer.

—Yo no tomaría una decisión apresurada. Tienes una larga licencia, así que espera hasta que termine y luego decide. Es demasiado pronto después de... después de lo que pasó, para hacer un cambio tan grande.

Era imposible imaginarse volviendo a esa oficina a recibir condolencias y miradas compasivas, a estar a la moda y a ser valiente. Iba a tener que buscar algo completamente diferente, donde nada le trajera recuerdos, entre personas a las que nunca antes hubiera visto.

Por supuesto que encontraría otro trabajo, pero todavía no. No estaba preparada aún. "De todos modos, mi trabajo es ridículo", pensó. "No tiene significado verdadero. ¡Moda! Vestidos estúpidos para mujeres que no saben nada sobre la vida real. ¿Las polleras son más largas u otra vez más cortas esta temporada? No lo sé. Sé que este año las chaquetas deben ser ceñidas, así que, por supuesto, hay que tirar a la basura las del año pasado, ¿no?"

Cynthia vio que Andrew sentía pena por ella. Pero ella también sentía pena por él. Él no se paseaba de un lado a otro para aliviar la tensión, como ella. No lo hacía porque él sentía que no debía. Él era hombre, y los hombres no demostraban el dolor. Así se les enseñaba, pobrecitos.

A la noche se dormían abrazados. Cuando tenían necesidad de darse vuelta, se ponían espalda contra espalda. Sentían el confort del simple contacto y querían, en su desesperación, nada más que convertirse en uno.

Entonces, después de un tiempo, Andrew volvió a sentir deseo, pero ella, no.

—No puedo —dijo ella—. Todavía no. —Y él aceptó. A ella le resultaba incomprensible que él sintiera necesidad de placer. ¿Qué placer podía volver a sentir? En su interior había un veneno corrosivo como un ácido, un odio salvaje hacia el hombre que había matado a sus hijos y que todavía vivía para respirar el aire puro, una terrible furia ante tanto sufrimiento injusto, ira ante el mundo.

Llegó un momento en que Andrew no aceptó su negativa de buena gana.

—¿Cómo puedes sentir placer? —reclamó ella.

—No es sólo placer, como tú dices. Es un acto de amor entre tú y yo. Todavía estamos vivos.

—¡Qué pronto te has olvidado! —exclamó Cynthia.

—¿*Olvidado*? —repitió él—. ¿Cómo puedes siquiera pensar eso de mí?

Entonces ella se disculpó.

—No quise decir eso.

—Para mí fue muy claro. Una palabra muy simple.

—Lo lamento —volvió a decir ella, y suspiró—. Es sólo que no puedo pensar en otra cosa. Todavía me parece verlos en el paseador, sus caritas rosadas, sus manitas con mitones, tan preciosas, y en un segundo...

—Basta, Cindy, basta. Tienes que dejar de pensar así —le rogó él.

No siempre Andrew tenía tanta paciencia.

—Parece que ese doctor que estás viendo no te hace mucho bien.

—¿No? Sólo impidió que me volviera loca, nada más.

Hubo una pausa antes de que Andrew dijera:

—Pronto van a hacer seis meses.

Seis meses desde la última vez que hicimos el amor, quería decir él. Y esa noche, cuando él se acercó, ella no lo rechazó, sino que se entregó como una piedra, sin sentir nada.

Ella no fingió, y él se lo dijo sin reproche, pero con tristeza.

—No puedo evitarlo —respondió ella.

La intención de Cynthia fue decir la verdad, y aunque en cierta medida lo era, también había cierto componente de mentira, pues en realidad ella pudo haberlo evitado pero no quiso. ¿Cómo podía Andrew creer que alguna vez iban a lograr reanudar la vida que tenían antes de que la tragedia la destruyera? Quizá, después de todo, los hombres eran diferentes...

Empezaron a distanciarse. Cierto día, cuando Andrew la vio sentada en la ventana con las manos en el regazo y los ojos hinchados, la reprendió:

—Tarde o temprano vas a tener que dejar de llorar. Ya no sé cómo ayudarte. No podemos seguir así. Yo no puedo.

Sus palabras y el tono en que las dijo la ofendieron.

—Y tú tendrás que dejar de dar vueltas en la cama toda la noche —respondió—. No puedo dormir. Ya que hablamos de nervios destrozados, ¿te diste cuenta de que constantemente te haces crujir los dedos? Todas las noches, cuando nos sentamos frente al televisor, tengo que oír el ruido de tus huesos.

Fueron a la cama y durmieron alejados. Una tormenta emocional sacudía a Cynthia. Durante meses ella había estado letárgica e insensible; ahora, en cambio, sufría estas tormentas de pánico y temor de enfrentarse al amor o a la vida; de pánico y temor de quedar aislada de la vida. Sentía una soledad terrible e inefable.

Cynthia sabía que era necesario reponerse. Sabía que vivían como ermitaños y que estaba muy mal. Así que un día, cuando una pareja amiga, Ken y Jane Pierce, los invitaron a cenar en su club, ella aceptó.

—Me alegro tanto —dijo Jane—. Francamente, no creí que aceptaras, pero igual quise intentarlo.

Las dos parejas viajaron juntas hasta el club, lo cual fue agradable pues la conversación tenía que ser impersonal. En el club habría mucha gente conocida, gente de la cual Cynthia se había alejado hacía mucho tiempo. Por eso, para esa primera aparición, ella eligió su vestimenta con especial cuidado. "¿Será que he recuperado el orgullo?", se preguntó a sí misma con ironía. "¿O es el lento retorno de la salud mental?" El doctor así lo creía.

En el vestíbulo espejado del club, vio la imagen de una mujer joven y extremadamente delgada, con ojos cansados, con un vestido de seda floreado. Cynthia había comprado ese vestido para unas vacaciones que nunca se tomaron; iban a ir a Florida con los bebés.

—Estás muy bien —le dijo alguien, con la amabilidad reservada para la gente que ha estado muy enferma y no tiene muy buen aspecto.

Las mesas estaban tendidas al aire libre, sobre una amplia terraza. Sin mucho interés Cynthia comió lo que le sirvieron y sin interés oyó la conversación que mantenían. Vagamente se daba cuenta de que las mujeres discutían acaloradamente sobre las elecciones de los directivos de las escuelas públicas. Los hombres, que como siempre hablaban de negocios, estaban agrupados en su mayor parte en el otro extremo de la mesa, mientras que Andrew estaba en el medio, con Ken a un lado y al otro una joven bastante vivaz, que tenía un vestido muy escotado.

Le divirtió un poco ver con qué habilidad Andrew lograba dividir su atención. Siempre se comportaba tan bien y tenía tan buena presencia. Y a pesar de tener aspecto triste y cansado, era el hombre más apuesto de la mesa. Sintió lástima por él. No se merecía lo que les había ocurrido. Debían, ella debía, conseguir olvidar...

Frente a Cynthia el campo de golf se extendía hasta una oscuridad cada vez más profunda, y a su izquierda, un sendero de madera descendía gradualmente colina abajo. El calor del día todavía se posaba sobre el césped y se elevaba en el aire mientras que, por encima del murmullo de voces humanas, se oía el claro e interminable chirrido de los grillos.

"Debimos habernos escapado de la ciudad mucho antes", pensó. "Nos habría hecho bien visitar a la abuela y caminar por el bosque juntos. Pronto debemos hacerlo. Allí podríamos sanarnos. Podríamos ser lo que siempre hemos sido."

Con estos pensamientos sus hombros se relajaron; no se había dado cuenta de lo rígidos que estaban. Miró hacia el espacio a la distancia, donde el crepúsculo ya había pasado a ser una noche plena, azul cobalto, excepto donde los faroles de papel, estilo japonés, describían pequeños círculos dorados en la oscuridad. ¡Qué bueno sería estirarse y dormitar bajo los árboles! Hacía mucho tiempo que no sentía una necesidad tan agradable. Una curiosa paz la había invadido, una especie de paz campestre.

Andrew se estaba riendo. Hacía tanto tiempo, también, que no lo oía reírse. Hacía tanto tiempo que ella no tenía motivos para reírse. ¿Acaso su conducta había ayudado a arrastrarlo también a él? Sí, era probable.

La mujer sentada junto a Andrew debió de haber dicho una broma, pues todos los hombres se estaban riendo. Era una mujer bonita, pero vulgar; no era del tipo de Andrew, con tanto maquillaje y ese vestido. No era que alguna vez se hubiera preocupado por otras mujeres, pues ella y Andrew estaban *casados*, de verdad.

"Pero yo estuve muy mal", pensó Cynthia. "No he prestado atención a mi aspecto personal. Necesito revivir, volver a la vida y abrir mis brazos a Andrew. Esta noche romperé las barreras. Esta noche."

Se levantó una suave brisa, que agitó las hojas, y Cynthia se cubrió los hombros con el chal de lana, de un tono amarillo pálido, con suaves flecos. Sintió cierta sensación de femineidad y gracia que hacía tiempo que no experimentaba. La repentina calidez en su interior era más que calor corporal; era una liberación.

Quiso mirar o tocar a Andrew para transmitirle lo siguiente: *Mi amor, todo va a volver a estar bien. Lamento que haya pasado tanto tiempo, pero me acaba de ocurrir algo que...*

Sus cavilaciones fueron interrumpidas por un largo gemido de la mujer junto a Andrew.

—¡Dios mío! ¿Sabes lo que me ha pasado? ¡Perdí mi mejor brazalete! Y no estaba asegurado. ¡Ay, me quiero morir!

De todos los costados recibió consejos y compasión, mientras todos se ponían a buscar en el césped y debajo de la mesa.

—¿Dónde lo viste por última vez? Piensa.

—¿Estás segura de que te lo pusiste esta noche? A veces creemos tener puesto algo, pero no es así.

—¿Cómo entraste en el club?

—Estacioné yo misma el auto en la playa de estacionamiento y fui caminando hasta la puerta principal y luego hacia el comedor.

—Eso es fácil. Tienes que ir al auto y volver sobre tus pasos.

—Iré contigo —se ofreció Andrew—. Empezaremos aquí, en el comedor. Tiene que estar en algún lado.

—¡Ay, qué dulce! Sin duda dos pares de ojos lo encontrarán.

Los hombres volvieron a sus conversaciones. Las mujeres se pusieron a hablar de los hijos, de los que estaban aprendiendo a caminar y de los que ingresaban en la universidad. Y Cynthia, al escuchar, no se sintió devastada. Le dolía, pero no tanto como antes. Se estaba curando...

Pasaron veinte minutos. Algunas personas se prepararon para partir.

—Las niñeras, ya sabes, tienen un horario.

—Mañana tengo que levantarme a la madrugada.

—¿Adónde fue tu marido? —preguntó Ken.

—Eso mismo me estaba preguntando —respondió Cynthia.

—Bueno, se fueron por ahí —alguien dijo, vacilante.

Cynthia fue adentro para mirar. Había solamente algunos jóvenes bailando. Desde los escalones podía ver claramente la playa de estacionamiento. El vestido rojo de esa mujer tenía que ser visible... Volvió a la mesa. El miedo, aunque sabía que era irrazonable, empezó a latirle en el pecho. Él podía haberse caído en alguna parte o enfermado repentinamente. Nunca se sabía. El mundo estaba lleno de peligros inminentes. ¿Quién lo sabía mejor que ella?

Pasó más tiempo. Uno de los hombres caminó hasta el borde del campo de golf y llamó:

—Andrew...

Qué tonto. ¿Qué podía estar haciendo alguien allí?

—Es un misterio —dijo Ken.

Jane se movió, inquieta. Tenía hijos que atender y una hora de viaje por delante.

—Está bien para la gente que vive cerca, pero

para nosotros que tenemos que permanecer en la ciudad todo el verano… —Se interrumpió. —¡Por el amor de Dios, los estuvimos buscando por todas partes!

Andrew y la dueña del brazalete perdido salían del bosque; ella agitaba el brazalete y se reía.

—¿Adivinen qué? Estaba en el asiento de mi auto. Siempre me lo quito para conducir. Las joyas entorpecen.

—¿Pero dónde diablos estaban?—Cynthia oyó que preguntaba Jane.

—¿Dónde crees? —oyó que otra mujer agregaba en voz baja—. Es el acto de desaparición que Phyllis siempre realiza.

Y Andrew, quien también había oído, permaneció parado como un niño vergonzoso, asustado por el repentino silencio.

—Vamos al coche. Ya es tarde —dijo Ken con voz calma.

—Primero necesito ir al baño —dijo Cynthia. Jane la siguió.

—No permitas que te vea llorar, no le des esa satisfacción —le aconsejó.

Cynthia, con cierto desafío, pues una actitud blanda seguramente la habría hecho llorar, respondió:

—¿Acaso ves alguna lágrima?

Se inclinó hacia el espejo y se pasó el peine una y otra vez por la cabellera, que no necesitaba ser peinada. Tenía el rostro colorado de tanta vergüenza; había sido humillada públicamente.

—Esa Phyllis es una perra. No puede dejar de

tirársele encima a cualquier hombre apuesto. No sé por qué la invitan aquí; ni siquiera es socia.

—Por favor...

—Está bien, no diré más. Pero escucha, Cynthia. Ustedes dos han pasado por el infierno. No permitas que esto te hunda más. Es terrible, pero no es lo peor. A veces sólo tienes que cerrar los ojos.

Era insoportable.

—Será mejor que vayamos. Nos están esperando.

—Si estás lista. Si no, que esperen.

—Estoy lista.

—No te preocupes, se te ve bien.

—¿Sabes qué? No me importa cómo luzco.

—Hombres. —Jane suspiró mientras caminaban hacia el auto. —Hombres. Son todos iguales.

Andrew y Ken, sentados en los asientos delanteros, conversaron todo el camino de regreso a la ciudad, mientras las dos mujeres permanecieron en silencio; Jane por consideración y Cynthia por ira. Era una mujer digna de lástima, que había sido humillada frente a extraños. La armadura de la dignidad marital le había sido arrebatada.

Todos estos sentimientos se convirtieron en palabras apenas se cerró la puerta del departamento. A pesar de que las piernas le temblaban, Cynthia se mantuvo de pie, apoyada contra la pared.

—Pasaron tres cuartos de hora desde que empezamos a buscarte, y sólo Dios sabe cuánto tiempo antes habías desaparecido. Con esa... esa cosa barata que hasta Jane dice que no puede dejar de tirársele encima a cualquier hombre, y tú, tú quedaste como un estúpido. —Estaba fuera de sí. Golpeándose el pecho le recriminó: —¿Me hiciste esto a mí? ¿A mí?

—No quise que quedaras como una tonta ni yo como un tonto. Es que... estás exagerando. Fue algo inofensivo —dijo Andrew, tartamudeando—. Es decir, no quise ofenderte. Quise decir que fue algo tonto.

Ella se quedó mirándolo. Nunca en su vida lo había visto a él, un hombre seguro y confiado, tan aturdido, tan torpe.

—Algo tonto —repitió él, sin mirar el rostro de Cynthia, sino sus zapatos.

—¿En qué estabas pensando? ¿Qué estaban haciendo ahí?

—Nosotros... fue... un paseo. Sólo dimos un pequeño paseo.

—Por supuesto. No fue un pequeño paseo, sino uno largo, a menos que... a menos que hayas pasado buena parte de ese tiempo revolcándote con ella.

—Admito que no actué con sensatez, pero estás exagerando, Cynthia. Estás yendo demasiado lejos.

—¿De veras? No lo creo.

Todo en la actitud de él era elocuente para Cynthia y la hacía imaginar la escena.

—Te acostaste con ella —espetó.

—Eso es ridículo. No tienes motivos para pensar eso.

—Simplemente lo percibo. Hay momentos en que las cosas se presienten. De todos modos, ¿qué otra cosa podías estar haciendo con esa mujer? ¿Hablando de filosofía?

—Sólo hablamos. Hablamos… sobre nada en particular.

—Estuviste en medio de los arbustos, en la oscuridad, durante casi una hora, hablando de nada en particular. ¿Crees que soy idiota? ¿Qué es todo esto, Andrew? Quiero saber. Y no me mientas. Quiero la verdad. Puedo enfrentarla.

Hubo un silencio. Se oyeron voces en el pasillo cuando unas personas salieron del ascensor. Luego volvió el silencio.

Entonces, de repente, Andrew levantó la cabeza. Miró a Cynthia directo a los ojos.

—Dijiste que querías la verdad. Bueno, lo que percibiste… es verdad.

Todos sus nervios se erizaron. Uno, en la sien, le produjo un dolor único y espantoso, y tuvo que sentarse.

—Quizás es mejor que lo admita, que te diga lo peor. Entonces me creerás cuando te asegure que nunca antes lo había hecho.

Cynthia empezó a sollozar.

—Creo que voy a volverme loca.

Él habló con humildad.

—Nunca antes lo había hecho, Cynthia. Te lo juro. Debo de haber enloquecido esta noche.

—¿Por qué? ¿Por qué? ¿Estabas ebrio? Tú nunca bebes de más.

—Bebí algunas copas de vino, pero no voy a justificarme con eso. Sólo sucedió. Lo lamento tanto, Cindy. Te juro por Dios que desearía que no hubiera sucedido.

—Así de simple. Desgraciado. ¿Qué habrías dicho si yo hubiera hecho lo mismo?

—Estaría furioso. Desesperado.

—Sin duda. La madre de tus hijos. De tus hijos muertos.

—Fue una locura. No sé de qué otra manera expresarlo, fue una locura. Porque te amo, Cindy, y siempre voy a amarte.

Cynthia vio que los ojos de él estaban llenos de lágrimas. Andrew se acercó a la silla con la intención de tocar la mano de Cynthia o acariciar su cabeza, para pedirle perdón. Ella tomó su cartera blanca y se la arrojó. Cuando se estrelló contra el piso, el elegante y pequeño bolso se rompió. Cynthia estaba furiosa, hirviendo de ira, al imaginarlo a él tendido en el césped... ¿con quién? Con un vestido despampanante y una risa estridente.

—Te odio —gritó—. Después de todo lo que nos pasó, haces esto. Después de lo que hemos sido el uno para el otro... o eso creí.

—Cindy, por favor. Nada cambió. Hice algo espantoso. ¿Pero no puedes perdonar algo espantoso, una aberración, un momento de locura?

Nunca conoces del todo a los hombres. Todos juran que no lo hacen, hasta los más buenos.

—Admito que no tengo justificación. ¡Pero has estado tan fría conmigo...!

—¡Fría! ¡Cuando tengo el corazón destrozado! ¿De qué estás hablando? ¿Te oyes a ti mismo? No, no te oyes. No tienes la menor idea de nada...

—¿Y *mi* corazón? Eres tú quien no tiene la más mínima idea de lo que significa abrazarse y darse consuelo. Lo intenté, lo intenté todos estos meses. Necesitaba un poco de calidez humana. Era lo único que necesitaba. —Se detuvo y se enjugó los ojos. —Lo seguiré intentando si estás dispuesta, Cindy. Por favor. ¡Lamento tanto todo lo que ocurrió!

Un actor, eso era. Vuelve a la mesa tan campante después de haberse sacudido el pasto de los pantalones.

—No puedo mirarte a los ojos —le dijo—. Me das asco. Ve a buscarte una almohada. Dormirás aquí, en el sofá.

—Si te hace sentir mejor esta noche... —empezó a decir él.

—¿Esta noche? No te molestes en calcular el tiempo que pasará hasta que te permita compartir mi cama.

"Nunca. Oh, Dios, nunca. Y punto. Estoy mirando a alguien a quien no reconozco. Ojalá estuviera muerta. Dios mío, déjame morir."

Él había echado todo a perder. Justo cuando empezaban a ver la luz, él la había apagado. ¿Cómo iba a volver a confiar en otro ser humano? El mundo, que una vez había sido decente y racional, no tenía sentido. El odio se solidificó en su corazón, formando una dura masa. Sus estados de ánimo fluctuaban entre el llanto, la furia y la desesperación.

—Pero me he disculpado una y otra vez —él decía durante esos primeros días espantosos—.

Traté de explicarte algo que probablemente no tiene explicación. Te lo suplico, Cynthia. Ahora te lo suplico.

—Una esposa está sentada del otro lado de la mesa, y su esposo, con mucha calma, se esconde entre los arbustos. No. Suplica todo lo que quieras. Soy sorda a tus súplicas. No quiero volver a oírte ni a verte. De hecho —dijo cierta mañana después de otra amarga discusión—, cuanto antes te vayas de aquí, mejor será. Déjame sola. Vete ahora.

—No puedes hablar en serio, Cynthia.

—Hablo muy en serio. Te doy un día. Hasta mañana. Puedes pasar el día de hoy empacando tus cosas. Después, apenas consiga quien se ocupe del departamento, yo también me iré.

—¡Dios mío! —exclamó Andrew—. ¡Hablas en serio! —Y él también perdió la paciencia. —Entonces quédate ahí sentada y ahógate en tu pena. Llora hasta que te quedes sin ojos en lugar de salir adelante. He perdido la paciencia. No puedo hacer nada más.

Así terminó todo. Ahora ella intentaba armarse una nueva vida en su trabajo, un hogar para madres y niños desamparados. Era una vida sin alegría, pero por lo menos útil. A menudo pensaba, cuando veía a una madre joven con su bebé, que le gustaría cambiar de lugar con ella. La pobreza era cruel y espantosa, pero con ayuda solidaria podía superarse; no era definitiva.

Otra vez se acercó a la ventana, como si ahí afuera hubiera alguna respuesta a sus preguntas. El cielo estaba teñido de un rosa sucio; era el cielo crepuscular que oculta las estrellas arriba de las grandes ciudades. Era hora de abandonar esa costosa vista y las cosas que adornaban esas habitaciones; los elementos brillantes y bonitos que alguna vez estuvieron destinados a formar el hogar de toda una vida. La carta de la abuela yacía abierta sobre el escritorio.

Ven a pasar el día conmigo, a cenar y a dormir. Quédate todo el tiempo que quieras. Te quiero.

Una vez más leyó las palabras afectuosas e imaginó a la abuela, sentada ante su escritorio, escribiéndolas.

¿Cómo podía negarse?

Capítulo 3

En Washington, Lewis Byrne colgó el teléfono y permaneció sentado, pensando en su hija.

Siempre, en la intimidad de sus pensamientos, la había considerado la alegría de su vida. Cynthia era alta y tranquila, y él podía verse a sí mismo y a su familia reflejados en ella; pícara y elegante, también se parecía a su madre, pues tenía la rapidez y el cuerpo fuerte y atlético de Daisy. Repetidas en Cynthia, estas cualidades parecían haberse intensificado; al mirarla, uno podía imaginar a un pájaro en vuelo. "Un pájaro herido ahora", pensó Lewis. Estaba sumido en ese pensamiento cuando la puerta se abrió y entró Daisy.

—¿Cómo te fue? —preguntó.

—Bien. Me sorprendí al descubrir a cuántas mujeres ya conozco en Washington. —Luego agregó: —Cualquiera que te viera nunca adivinaría tus preocupaciones.

Ella había traído vigor a la habitación, como si volviera de nadar, de cabalgar o de jugar al tenis. Había energía en su paso y en su mirada directa, de ojos azules.

—¿De qué sirve demostrarlas? —respondió ella con tristeza.

—De nada, supongo. Hablé con Cynthia.

—¿Alguna novedad?

—Nada, excepto que va a acompañarnos a casa de mamá.

—Ah, qué bien. Tenía miedo de que no aceptara.

—Cynthia quiere mucho a mi madre.

—Claro, por supuesto. Me refería a tener que volver al pueblo, ver la iglesia donde se casaron y el cementerio.

—¡Cómo pudo Andrew haberle hecho eso! Dios sabe que los hombres tienen sus momentos de debilidad, ¡pero esto! Es imperdonable. Después de todo lo que pasaron, y justo cuando todos pensábamos que ella empezaba a recuperarse. —Lewis sacudió la cabeza, suspirando. —No importa la edad de tus hijos, las preocupaciones nunca se terminan, ¿no es verdad? ¿Recuerdas el susto que nos dimos cuando se partió el brazo en tres? ¿Y cuando tenía siete años y se perdió en el picnic de los Brownie, o creímos que estaba perdida?

—¿Recuerdas cuando tenía quince y estaba locamente enamorada de ese chico horrible?

Durante algunos minutos permanecieron en silencio, hasta que Daisy lo rompió para decir:

—Levántate. Cenemos y vayamos a ver una película, una comedia, si están dando alguna. Todo esto no nos ayuda ni a nosotros ni a Cynthia.

—Tienes razón. Pero odio diciembre —dijo mientras se levantaba.

Una tarde corta y sombría habían recibido ese

llamado, que los hizo ir corriendo a su hija, a sus nietos muertos y a la angustia.

—Sé que es un mes malo. Pero vamos, querido, ponte la chaqueta.

Por Daisy debía intentarlo. Cenaron una rica comida, pero él no tenía hambre. La película pasó delante de sus ojos sin que la registrara. De vuelta en casa, cuando ella fue a la cama, él dijo que tenía trabajo pendiente.

—Voy dentro de un momento. Tengo que leer cierto material sobre un proyecto de viviendas públicas.

Volvió a sentarse en su silla, junto a la ventana. El departamento debía de estar cálido, como siempre, y sin embargo esa noche parecía que una corriente se colaba por las paredes. El Jefferson Memorial parecía una escultura en hielo, y el mundo congelado. Se levantó, temblando de frío, para servirse una copa de vino. Quizá no sólo lo calentaría, sino también lo ayudaría a dormir. En esos días siempre tenía poco sueño.

"Sí, diciembre. Siempre voy a odiar este mes." Como si la catástrofe de Cynthia no fuese suficiente, esa semana se cumplía el sexto aniversario de otra muerte: un sábado por la noche la empresa Byrne e Hijos murió. Una de las mejores empresas de ingeniería llegó a su fin. Quedó destrozada. Eliminada.

Al recordarlo a Lewis le temblaron las manos, y derramó las últimas gotas de vino sobre el informe sin leer acerca de viviendas públicas. Pensó que un desastre como ese jamás se olvidaba. Todavía podía ver los titulares en los diarios, letras negras bailando una danza loca y macabra:

> Tres balcones de hormigón en el nuevo Arrow Hotel International se derrumban. Ochenta y tres muertos y más de seiscientos heridos. Los que trabajan en el rescate temen que haya muchos más atrapados entre los escombros. Las víctimas podrían ser muchas más.

"El horror. Y Gene, mi hermano, mi socio, todavía me responsabiliza. No hay perdón ni comprensión, sólo culpa."

Esa estructura —le parecía verla con tanta claridad como si estuviera parado frente a ella— elegante, de una luminescencia blanca como leche, entre las palmeras y el Atlántico, debía ser, si no el trabajo de coronación de la firma, por lo menos otro triunfo en la lista de éxitos de costa a costa. Arrow Hotels International durante los últimos veinte años había contratado exclusivamente a Byrne para el diseño de sus proyectos. Y ahora esos días de gloria estaban terminados.

"Todo empezó con ese muchacho de aspecto desaliñado", pensó Lewis, al recordar exactamente esa mañana en que su secretaria le anunció que "un joven" insistía en ver al señor Byrne.

—¿Es algún loquito?

—No lo creo, señor Byrne, aunque nunca se sabe, ¿no?

Su nombre era Jerry Victor. El asunto era muy

importante, vital para la firma y una cuestión de conciencia.

—Está bien, lo veré así termino con esto.

—No es mala idea. Parece la clase de hombre que seguirá viniendo hasta que lo atienda.

Era un empleado importante en la oficina de Harold Sprague y Compañía, los contratistas. Deliberadamente desaliñado, con el cabello despeinado en una cola de caballo, se expresaba bien, era muy serio y evidentemente educado. Podía decirse, a juzgar por sus primeras palabras, que era un batallador. Algunas personas, entre ellas Lewis, de inmediato lo consideraría un agitador. Lewis admitía ser un conservador, con poca tolerancia hacia lo que él llamaba "excéntrico". No obstante, escuchó atentamente lo que Victor venía a decirle.

El hombre trabajaba en un pequeño espacio al final de un pasillo estrecho, entre dos oficinas. Hacía pocos días, después del horario de oficina, había vuelto a su escritorio a buscar unas llaves importantes que había extraviado. A excepción de algunos empleados de limpieza, las oficinas estaban vacías, así que se sorprendió al oír a dos hombres conversando del otro lado del pasillo. Estaba seguro de que uno de esos hombres era el señor Sprague. Hablaban en voz baja, pero las paredes eran delgadas. Mientras buscaba sin éxito sus llaves, no pudo evitar oír la conversación. No acostumbraba, según dijo, escuchar conversaciones ajenas, pero le sorprendieron tanto las primeras palabras que se escondió para enterarse del resto.

—¿Ocho por ciento, entonces? —preguntó uno de los hombres.

—Sí, ¿no es suficiente?

—Habíamos hablado del diez.

—Eso es demasiado.

—Hay que tener en cuenta el volumen. Tenemos otros dos trabajos con Byrne para ustedes después de éste. Valdrá la pena.

—¿Y qué te parece nueve por ciento?

—Está bien, está bien. Llegaremos a un acuerdo. No quieres perderte nada. Hay muchas maneras de mezclar el hormigón, ¿no es verdad? —Y alguien se echó a reír.

Ésa, entonces, era la increíble historia. ¡Buen Dios! Harold Sprague había sido su amigo en Yale, y antes que eso, en la escuela preparatoria. Habían ido juntos a Europa, y sus respectivas familias eran vecinas durante el verano en Maine. Le parecía imposible relacionarlo con algún juego sucio. Este muchacho, Jerry Victor, seguramente no había entendido bien y quizá ni siquiera había oído bien. Lo más probable era que tuviera sus propias motivaciones; quizá lo habían reprendido y quería vengarse. O simplemente era un agitador que mentía porque su deseo era, en principio, quebrantar la firma, como ocurría con muchos que iban y venían con cuentos esos días. Ése fue el razonamiento de Lewis.

O por lo menos ése había sido su razonamiento en ese entonces. El tiempo y los hechos modificaron esa certeza inicial. Mientras reflexionaba, se puso a contemplar las luces que iluminaban Washington. Tenía que admitir que se había encandilado un poco con el nombre de Sprague y no debió ser así. Pestañeó al recordar ese día.

—¡Es una acusación absurda! —había dicho—. ¡Usted ni siquiera vio a los hombres!

—Conozco la voz del señor Sprague.

—¡Conoce su voz! No, jovencito, eso no significa nada. Le sugiero que olvide el asunto, se limite a hacer su trabajo y a ocuparse de sí mismo.

Después de reprender al joven y de despacharlo con adecuada dignidad, le mencionó a Gene el ridículo asunto, como si se tratara de una broma.

—De todos modos deberíamos investigar —opinó Gene.

—¿Cómo? ¡No puedes hablar en serio! ¿De verdad quieres que insulte a Harold Sprague con semejante basura?

—Si te pones a pensar, ¿qué sabemos de él o de sus proveedores? Es el primer contrato que le hemos dado.

—Conocemos su reputación a lo largo y a lo ancho de la Costa Oeste.

—No debimos haber cambiado. Hace veinte años que trabajamos con los mismos contratistas, que son muy confiables.

—Quise darle una oportunidad, ahora que se está expandiendo hacia el este. Su precio era competitivo, ¿no es cierto?

—No estoy de acuerdo. Definitivamente deberíamos hablar de esto. Si te sientes incómodo, iré a hablar yo.

—Gene, te lo prohíbo.

No obstante, Gene fue a hablar con Sprague.

—Tuve tacto —le informó un par de semanas más tarde—. Le dije que yo creía que debía saber que se corría un rumor sobre él, que no significaba que yo lo creyera, pero que él debía saberlo. Por supuesto se puso furioso, se indignó... no conmigo, no te preocupes...

—Creo que cometiste un grave error por culpa de un loco alterado.

—El muchacho vino a verme hace unos días. Lo está pasando mal y va a renunciar.

—¡Enhorabuena! Es una persona problemática y arrogante. He estado averiguando y nadie lo quiere. Hasta aventó el fuego en el sindicato.

—Con respecto a eso no sé nada. Lo que te puedo decir es que, cuando miro a una persona, casi siempre puedo decir si es un ser humano honorable y leal. Y creo que ese muchacho lo es.

—Es una afirmación muy dudosa, Gene. Piénsalo.

—No más dudosa que la confianza que le tienes a un hombre sólo porque fueron juntos a Yale.

Y así se produjo un leve distanciamiento entre los hermanos. No fue nada evidente, más bien una sutil frialdad, como cuando una corriente agita el aire en un rincón de una habitación que siempre es cálido y confortable. Y esa distancia aún persistía dos años después, cuando el gran hotel quedó terminado...

¡Qué joya! Era un perfecto símbolo de la magnificencia, pero sin ostentación, la cual Lewis despreciaba. Cuando las líneas eran correctas, no era necesario ningún ornamento extra.

Parado donde un seto bajo y en flor dividía el césped de la arena, miró más allá de la gran arcada, toda la profundidad de la estructura, hasta el arco opuesto y el sendero de palmeras que se extendía desde la entrada principal hasta la calle. Si uno se paraba en la entrada principal, sólo podía verse el mar azul, y en ese momento, el cielo nocturno, donde algunas nubes ocultaban unas pocas estrellas titilantes.

"Pronto va a llover; probablemente mañana lloverá todo el día", pensó Lewis. Se alegró de que Daisy no hubiera podido acompañarlo en esa oportunidad. Ella había asistido a tantas reuniones de ingenieros. En cuanto a él, esta reunión iba a ser un poco especial, dado que la mayoría de los miembros iban a ver por primera vez el logro de Byrne e Hijos. Volvió a entrar en el salón, donde fue recibido por la música, el champagne y las felicitaciones.

Un estallido seco sacudió el aire. Como un rayo cuando parte y derriba un árbol y produce un terror atroz en hombres o animales, volvió a repetirse. Y por instinto, Lewis buscó refugio. Entonces, en una terrible fracción de segundo al llegar a la puerta, no vio un refugio, sino un caos... y se había producido en el interior.

El corazón le dio un vuelco. Pensó que iba a darle un ataque. Creyó que se moría.

El caos estaba compuesto por hormigón, acero retorcido y vidrio pulverizado en el fondo del atrio de cinco pisos. Los balcones se habían derrumbado. Incluso en ese momento el último balcón en el segundo piso, por el peso del balcón de arriba, estaba cediendo, y con él caían cuerpos humanos que gritaban y agitaban los brazos con desesperación.

Ahora Lewis sabía que se moría, y quería morirse.

Todos los presentes contuvieron el aliento; después se oyeron gritos, sollozos y maldiciones; luego sobrevino el impulso instantáneo y violento de ayudar. Lewis sacó a una muchacha de debajo de una viga: había perdido un brazo. Un hombre yacía con sangre brotándole de la boca; los ojos abiertos, muerto. Seres humanos, con las cabezas apenas visibles bajo los escombros, gritaban y suplicaban aterrorizados, mientras que grupos de dos y tres personas se esforzaban por mover los cascotes que los cubrían. Lewis pensó en su hermano, pero ahora no había tiempo ni modo de buscarlo. Apenas había espacio para caminar entre la masa de ruinas.

El agua salía de las tuberías rotas y mojaba el piso ya resbaladizo. Un enorme bloque de hormigón, demasiado pesado para ser levantado por una persona, aplastaba un par de piernas; no obstante, Lewis intentó levantarlo; el hombre gritaba agonizante y suplicaba; de repente, sus gritos cesaron. Lewis fue a asistir a una mujer mayor que, aunque cubierta en sangre, todavía podía permanecer en pie. Un niño tenía el rostro cortado; había caído sobre algo filoso, probablemente sobre un trozo de la delicada filigrana de hierro que adornaba los balcones. Un chorro de vómito salió de la boca de Lewis.

En un costado del lobby todavía estaban las mesas pequeñas adornadas con cubiertos, flores y manteles rosas. Del otro lado, en el salón de cócteles, el piano permanecía intacto. Más allá podía verse el Salón Azul, donde sobre sofás y alfombras estaban colocando a las víctimas que habían podido salvarse de la destrucción.

Mucamas, cocineros vestidos de blanco y hombres con uniformes marrones corrían por todo el hotel. Alguien le ordenó que tomara a una mujer de las piernas, y Lewis obedeció, mientras alzaban a una mujer pesada que se había desmayado. Venía gente de la calle. Lewis pensó que debía de estar lloviendo, pues tenían la ropa empapada. Aturdido, se movía de un lado a otro para ayudar a través de la confusión de polvo y vidrio pulverizado. En un momento le pareció que estaba viendo las víctimas de una batalla, sobre las que había leído en incontables libros y visto en innumerables películas. Sólo que allí, en ese lugar, hacía pocos minutos habían estado escuchando música, vestidos de etiqueta...

El aullido de una ambulancia rompió su aturdimiento. La policía, los bomberos y los paramédicos comenzaron a hacerse cargo. Llegó más ayuda. En el salón de baile espejado se improvisó una morgue para los numerosos muertos. Había muchos periodistas con cámaras.

Cuántas horas transcurrieron, Lewis nunca pudo recordar. Le pareció que habían pasado días hasta que, en el límite del cansancio y del estupor, subió a la suite reservada para él y para Gene.

El lobby estaba despejado de muertos y heridos. Habían hecho todo lo que podía hacerse ese día. Sólo quedaba el trabajo de los hospitales. Lo que sí recordaba, perfectamente, era la terrible discusión con Gene.

Gene había abierto una botella de brandy.

—Porque sólo Dios sabe que la necesitamos. Esa escena en el lobby... el infierno no podría ser peor.

La lluvia salpicó el balcón. Se había levantado un viento fuerte, que sacudía las palmeras, y las persianas exteriores se habían abierto.

—Algún idiota se olvidó de trabar las persianas —dijo Lewis. Se levantó y las trabó. —Estoy enojado con el mundo, Gene. Cosas como esta no deberían ocurrir. Música en un momento y piernas amputadas en el siguiente. Escucha ese viento. Lo único que nos falta es un huracán.

Gene llenó su copa y se sentó mirando hacia la pared. Lewis todavía estaba junto a la ventana, temblando, mirando la nada. Después de un rato, al oír el murmullo de Gene, se dio vuelta.

—¿Qué dices?

—Sólo murmuro. Trato de imaginar el número. ¿Cuántos crees que hayan sido? ¿Cuántos muertos y heridos?

—No sé. Demasiados, es todo lo que sé. ¡Dios mío! —exclamó—. ¿Cómo y por qué? ¿Por qué?

—Te lo diré. Porque debimos haber actuado al

principio, cuando el joven Victor vino con su historia sobre Sprague. Supongo que ahora verás que yo tenía razón hace dos años. Odio tener que decírtelo, pero es la verdad.

—Estás sacando conclusiones apresuradas. Ni siquiera sabemos qué sucedió y ya has encontrado un culpable.

—Sabemos muy bien qué ocurrió. El hormigón no era bueno. Sólo tienes que tocarlo. Material barato. No tiene suficiente agregado. Busqué lo mejor que pude en medio de los escombros esta noche, y juro que tampoco había suficiente hierro de refuerzo. Confiamos. O mejor dicho, tú confiaste. ¡Yo no! Y ahora nos culparán por el desastrc. Y el hecho es que nos merecemos la culpa.

—Bueno, si el proveedor estafó a Sprague y estás seguro sobre el hormigón, no veo...

—Estoy seguro. Ve abajo ahora y velo por ti mismo. A mí nunca me gustó Sprague —murmuró Gene—. Sabes que nunca me gustó. Y ahora estamos acabados, terminados, destruidos. ¿Comprendes?

—Estás sacando conclusiones apresuradas, como ya te dije; además estás ebrio. Eso que estás bebiendo es brandy, no agua.

—Necesito estar borracho. ¿Te das cuenta de cuántas personas murieron esta noche? ¿Y cuántas quizá vivan sin volver a caminar gracias a tu estupidez?

—¡Maldito seas, cómo te atreves!

—Me atrevo. Tu amiguito, Dios no lo permita. No lo ofendamos. Oh, no, nunca. No tienes conciencia social, ése es tu problema.

—Estás loco. No vas a salirte con la tuya cuando estés sobrio, aunque seas mi hermano.

Hacia el amanecer sonó el teléfono, que les transmitió la furia de los propietarios del hotel.

—Fueron contratados porque supuestamente eran los mejores. ¿Qué diablos han hecho o dejado de hacer en este trabajo? Tendrán noticias de nuestros abogados a las diez de la mañana hora de ustedes, e iremos en persona apenas aterrice el Concorde mañana.

"Entonces penetramos en los vericuetos espinosos de la ley, un oscuro túnel donde vagamos durante meses y años, buscando alguna luz que nos guiara", pensaba ahora Lewis.

"Es sólo una cuestión de pasarse la pelota, de distribuir la culpa. El proveedor que engaña al contratista (sí, admito que Gene tenía razón: el hormigón era malo). El contratista es una víctima inocente o culpable de negligencia. Los ingenieros en la punta de esta pirámide tienen la misma elección, así como la compañía propietaria. ¿Víctimas o victimarios? ¿Quién es quién? Entonces todos hacen juicio contra todos. Y las familias de los muertos y heridos hacen juicio a todo el que se les ponga adelante.

"Entonces, en medio de la riña, ingresa el señor Jerry Victor, ahora algunos años mayor, en esta oportunidad vestido con un traje respetable y el cabello corto, además de una interesante historia para un periodista investigador. ¿Y a quién va a ver el periodista después de entrevistar a Victor? Por supuesto, a Lewis Byrne. Y Lewis Byrne es convocado para explicar su situación en la sala del tribunal, para dar, lo mejor posible, la estúpida razón por la cual no pidió una investigación. Y Eugene Byrne debe explicar su parte en el asunto y contar cómo le pidió a su hermano que hablara con Sprague y cómo su hermano se negó."

Gracias a Dios que todo finalmente había terminado.

"No, nunca terminará", pensaba ahora. "¿Acaso alguna vez dejaré de ver el rostro terrible de esa muchacha con el hombro sangriento y el brazo amputado? ¿Estaba ella moribunda, muerta o en shock cuando la alcé? No sé lo suficiente sobre el cuerpo humano como para asegurarlo. Y todavía puedo oír cómo ese anciano enloquecía, gritando el nombre de una mujer: ¡Julia! ¡Julia!"

—¿Qué diablos estás murmurando? —preguntó Daisy—. Estaba quedándome dormida cuando te oí. Ven a la cama, ya son casi las doce.

—Estaba pensando. En mi maldito hermano, por ejemplo.

—Mi amor, debes dejar de pensar. No se merece que pienses en él.

—Está bien, cometí un grave error. Pero él no quiere entender, no siente compasión alguna. Testifica en mi contra. Me acusa de no tener conciencia social. ¿Te imaginas? ¿Yo, un empleado del gobierno? ¿Mientras él sigue ganando montones de dinero como asesor?

—Lewis, por favor. Te pones tan nervioso.

Ella se apretó contra la espalda de él, rodeándolo con los brazos, besándolo en el cuello. Después de todos esos años todavía podía darle todo lo que él necesitaba. Sin embargo, esa noche Lewis estaba demasiado deprimido para responderle.

Al percibirlo, ella se retiró, mientras le decía con voz suave:

—Los últimos años han sido demasiado duros. Ahora nos esperan buenos años. Estoy segura de eso.

—Conciencia social —repitió él como si ella no hubiera hablado—. Ese esnob. Él y su esposa, Susan, la descendiente del *Mayflower*. Siempre dándose aires, ¿no es verdad? Y recuerda el modo en que trató a Ellen cuando se enamoró de Mark. Créeme, prefiero a Mark mil veces antes que a nuestro yerno, con toda su noble cuna. Aunque Mark sea judío. ¡Las cosas que Ellen le contó a Cynthia sobre lo que tuvieron que pasar por culpa de Gene! ¡Dios mío, Arthur Roth ha sido mi contador durante treinta años, y el de mi padre antes, y es una de las mejores personas que conozco!

—Vamos, vamos, por el amor de Dios, te quedas sin aliento. Todo esto no te hace bien, y a mí tampoco.

—No te conté que vi a Gene la última vez que estuvimos en Nueva York para visitar a Cynthia. Supongo que no quise perturbarte. Lo vi aproximarse al doblar la esquina. Suerte que tengo buena vista. Eso me dio tiempo suficiente para cruzar la calle y ponerme a mirar una vidriera. Te juro, Daisy, que el solo hecho de verlo me hace hervir la sangre.

—Entonces es bueno que no tengas que verlo.

Mejor, tratemos de hacer algo por Cynthia. Vamos a pasarlo muy bien en la casa de tu madre. Cuando estamos en tu antiguo hogar siento que vuelvo a una época más fácil y más lenta. La caoba está bien cuidada, hay flores sobre la mesa, los perros están cepillados, el viejo George todavía se ocupa de la jardinería, Jenny todavía está en la cocina y tu madre siempre está alegre.

Ante ese comentario Lewis finalmente tuvo que sonreír.

—Sí, hay algo en ella que atrae a la gente. La última vez que la vi, Jenny me dijo que ella y George tienen pensado quedarse mientras mamá viva. —Después, volviendo a fruncir el entrecejo, exclamó: —¡Pobre mamá! A su edad no debería estar sufriendo estos problemas familiares. Me pregunto... ¿Crees que nos haya mandado llamar porque pasa algo malo? Ella es la última persona en quejarse, pero si tiene algún problema de salud, me alegra que sea yo a quien quiera ver. Dios sabe que no recibiría la misma ayuda de Gene.

—Querido, estoy segura de que no pasa nada malo. Simplemente quiere darle a Cynthia la posibilidad de distraerse un poco. Va a ser hermoso para los tres. Vamos a la cama.

Capítulo 4

Lo primero que vio Gene Byrne al llegar a su casa desde la oficina fue el sobre que había encima de la pila de correspondencia sobre su escritorio. Anna, su empleada, sabía que lo primero que iba a interesarle era la carta de su madre.

Gene se sentó de inmediato para leerla, y sonrió. ¡Una invitación para pasar el día y quedarse a cenar! Bien podía haberlo hecho por teléfono. Pero eso no hubiera sido característico de su madre.

Apreciaría que no le mencionaras esta invitación a Ellen. No quiero herir sus sentimientos. ¿Tengo que decirte lo mucho que adoro a tu Ellen y a sus bebés? Planeo invitarlos pronto, pero esta vez me gustaría verte sólo a ti.

"La infatigable Annette Byrne finalmente está mostrando su edad", pensó Gene. Los niños, en especial su querida nieta Lucy, podían destrozar los nervios hasta de una persona joven después de todo un día de correteos, travesuras y preguntas.

Gene lo comprendía, y sin embargo se sentía desilusionado. Aunque sus días estaban llenos de trabajo y a pesar de que, viviendo en Nueva York, podría haber llenado sus noches —y con frecuencia lo hacía— con teatro y música, también tenía sus horas solitarias. Su vida había cambiado cuando su hija se casó, su hijo se mudó a Londres y su esposa murió. Era de esperar que tuviera que pasar algunas horas solo, y no tenía derecho a quejarse. En realidad nunca se quejaba. Y sin embargo, estaba desilusionado.

Anna había puesto su cena en el horno y, como conocía sus gustos, había tendido una mesa pequeña con vista al East River. Era agradable comer y ver pasar las embarcaciones, estar sentado confortablemente, observar desde arriba las calles ventosas, beber en copa de cristal. El mantel individual tenía bordadas las iniciales *S.J.B.*, por Susan Jane Byrne, y todavía estaba en uso pese a que había sido comprado para su ajuar, unos treinta y dos años atrás.

Susan lo había dejado demasiado pronto. El cáncer no elegía las edades de sus víctimas. La semana siguiente iban a hacer diez años que Gene estaba instalado en lo que llamaban "su cuartel de soltero", inmediatamente después de la muerte de Susan y del casamiento de Ellen, que tuvo lugar pocos meses después. A veces pensaba que si ella tenía que morir, por lo menos no había tenido que sufrir algunos problemas inesperados: el lamentable casamiento y el desastre del gran hotel.

Gene trataba de no pensar en esas cosas. Afortunadamente se mantenía ocupado, no como ese hermano suyo que, según lo poco que sabía de él, no hacía nada. Uno tenía que aceptar los hechos consumados. El casamiento de Ellen, por ejemplo, podría haber sido mucho peor de lo que parecía al principio. Los nietos, por supuesto, eran maravillosos. Con respecto a la otra mancha de su vida razonablemente afortunada, pues había tenido buenos padres y una esposa amada, sabía que no iba a desaparecer. Simplemente no debía recordarla.

Sin embargo, iba a resultarle difícil en esa semana de aniversario. El día anterior, al volver a casa en medio de una lluvia torrencial, recordó la tormenta tropical de aquella noche, los pilotos empapados de los policías, el brillo del pavimento mojado donde se cargaban las ambulancias, el alboroto enloquecedor, los gritos y el zumbido de los helicópteros.

tail lights

No hay más lugar en la morgue. Los están poniendo sobre el piso.

Nunca debió haber sucedido. Era simplemente una cuestión de honor y de verdad. Si sólo Lewis hubiera escuchado cuando Jerry Victor vino con su historia, la tragedia nunca habría ocurrido. Pero Lewis estaba demasiado impresionado con los Sprague y su *château* en Francia, donde los viejos Hanson-Sprague recibían a embajadores y financistas todos los veranos, como para abrir la boca e investigar.

"Nadie me convencerá nunca de que Victor no decía la verdad", pensaba Gene ahora y probablemente por milésima vez. "Él no estaba buscando problemas. Pudo haber iniciado juicio por violación de la ley del denunciante. Le prometieron un aumento de sueldo y de repente se lo negaron. Le dieron una tarea que no estaba capacitado para realizar y que seguramente haría mal. Ellos querían que la hiciera mal. Él sabía que le estaban tendiendo una trampa. ¿Por qué no lo denunciaba? Porque, según le dijo Victor, tenía que ganarse la vida." Y Gene lo admiró por ello.

"Lo gracioso es que, si su aspecto hubiera sido en ese entonces como lo fue en el juicio varios años después, Lewis le habría prestado más atención.

"Tanto esnobismo viene de Daisy también. ¿Y quién diablos se cree Daisy? Su familia nunca significó nada. Nadie nunca oyó hablar de ellos. Cuando pienso en Susan, tan modesta aunque era lo más cercano a una aristócrata que se podía encontrar en este país, desde el *Mayflower*...

"Sí, pero fue la hija de Daisy la que se casó bien, no la nuestra. Son esas tretas de la vida. Nunca se sabe qué hay en la siguiente esquina. Lo que les pasó a sus mellizos fue algo terrible, inconcebible. Me alegro de haber estado en Londres cuando todo sucedió; el funeral debe de haber sido horrible. Ellen me dijo que lo fue. Me lo imagino. Mejor dicho, no puedo imaginármelo. Si hubieran sido Lucy y Freddie, creo que me volvería loco.

"Son tan hermosos, tan inteligentes y tan dulces. Se parecen a Ellen. No es que Mark no sea un joven apuesto. Se viste bien, muy bien en realidad. Claro, hay que tener buena presencia cuando se trabaja en una galería de arte del centro de la ciudad. Me pregunto cuánto ganará. No debe de ser mucho, creo, pues de lo contrario no estarían viviendo en ese departamento reciclado de los suburbios en lugar de en este vecindario, cerca del parque, donde vive Cynthia. Es tan deprimente ese barrio, con esas casas y fábricas, tan gris y mugriento, con esos camiones y aceras atestadas. Parecería que el aire es venenoso, y es probable que lo sea, con tantos caños de escape y sin árboles que absorban nada. ¿Dónde diablos jugarán los niños? ¿Y con quién?

"Pero parece que Ellen es feliz, así que quizá la elección haya sido idea suya. No sé. Siempre fue muy independiente. Como la mayoría de los artistas. Quizás, algún día, brille por mérito propio, después de que los dos niños estén en la escuela. Vi algo bastante bueno en ese caballete que tiene en el lado norte de esa gran habitación. Dios mío, cocinan y comen, ella trabaja, los niños juegan, hacen todo excepto dormir en esa única habitación. Sin embargo, parece que son felices juntos.

"La fuga de Ellen casi me produjo un ataque cardíaco. ¿Por qué, con todos los contactos y las oportunidades que tenía, tuvo que elegir a alguien llamado Mark Sachs? No es que tenga nada en contra de los judíos. Bueno, quizá sí, un poco. Son personas peculiares. Nunca sé qué están pensando. No me siento cómodo con ellos. Es sólo... es sólo que... En realidad, no es Mark quien me molesta tanto. Nadie podría decir que Mark no es un caballero. ¡Pero sus padres, especialmente su padre!

No importa que sea doctor y supuestamente jefe en algún hospital u otro, no puedo mirarlo. La única vez que lo vi, hace nueve años, fue más que suficiente. Nunca más quiero volver a ver esa barba negra. Sentado ahí con esa cara agria; no comió nada. Ellen prometió que no iba a tener que verlos, y gracias al cielo mantuvo su promesa. Supongo que el doctor tampoco estará muy ansioso por verme. ¡Ja! Fue odio a primera vista, en especial de su parte. Lo percibí apenas entró en la habitación. La madre es mucho más agradable, a pesar de su voz aguda y fuerte. Demasiado emotiva. Ortodoxa. No le gusta mi hija. No es suficientemente buena para su hijo. Puedo imaginarme cómo habrán discutido en su casa. Estar mezclado con gente como ellos. Y mis nietos, relacionados con ellos, atados a ellos de por vida.

"Apuesto a que no les ha dado ni un céntimo porque desaprueba el matrimonio. Por lo menos abrí cuentas a nombre de ellos sin que lo sepan. Me gustaría darles cosas ahora, pero no aceptan nada. Ellen no quiere nada y Mark es muy independiente. Bueno, en realidad lo respeto por eso. Así que ellos tendrán lo mío cuando llegue el momento. A excepción de las joyas de Susan. Ellen ya las tiene todas, incluso algunas piezas muy valiosas, aunque quién sabe cuándo las usa. Por lo menos las tiene. A esa gente no le habría costado nada hacerle un regalo a la madre de sus nietos, aunque no les agrade. Pero está bien, siempre y cuando no tenga que tener contacto con ellos, y eso no sucederá. De eso estoy seguro."

Gene bebió su café. Una vez más, su mirada cayó sobre la carta de su madre. Y volvió a preguntarse si habría motivo para preocuparse.

Ven temprano. Te espero no más tarde de las diez.

Estaba bien. Como era madrugador, tomaría un desayuno rápido y emprendería viaje. ¿Pero por qué específicamente a las diez? A menos que quizá tuviera cita con algún médico u abogado. Le dolió pensar que su madre pudiera necesitar a cualquiera de los dos, pues los médicos y los abogados casi siempre implicaban algún tipo de problema. Ella ya tenía suficientes preocupaciones: los problemas de Cynthia y la separación irreconciliable de sus dos hijos.

Se levantó y escribió un memorándum: *Pasar por la librería para mamá. Nuevo libro sobre castillos ingleses, más una buena novela. También, bombones de chocolate, caja grande.*

Capítulo 5

Del otro lado del Central Park, Aaron Sachs y su esposa, Brenda, estaban cenando.

—Vamos a tener que salir temprano para recoger a Mark y a Ellen antes de salir a la ruta —dijo Brenda.

—Nunca sabré por qué no tienen auto. Pienso que nuestro hijo está en condiciones de comprarse uno barato al menos.

—Estoy segura de que puede. ¿Pero para qué quiere auto en Manhattan?

—Como siempre, tienes razón, querida esposa. —Y Aaron le guiñó un ojo.

Ella era tan razonable que a veces, cuando él estaba de malhumor, lo irritaba. Sin embargo, después de tantos años, ella era su tesoro, su "mujer valiente", de buenos sentimientos, vigorosa y casi tan bonita como en el día de su boda.

En ese momento él no estaba exactamente de mal humor, pero sí cansado. Había tenido una cirugía muy difícil de un caso lamentable, con mal pronóstico. Y ahora, esa carta de Annette Byrne resultaba una complicación en su ocupada vida. ¿Quién quería viajar al campo en mitad del invierno para visitar a una mujer que uno apenas conocía? Habían estado en su casa sólo una vez antes, nueve años atrás. Aaron tomó la carta, la apoyó contra el plato de la cena y la manchó con salsa de tomate.

—¡Ay, tan bonito papel! —exclamó Brenda.

—No importa el papel.

Sería muy importante para mí que todos pudieran venir. Además, sería divertido para Lucy y Freddie. Tenemos una nueva familia de cisnes para mostrarles. Así que, por favor, vengan.

—Ahora bien, ¿por qué es tan importante para ella? ¿Por qué?

—¿Qué te parece tan raro? Es anciana y está sola. Quiere pasar un poco de tiempo con sus bisnietos y con la familia de su nieta. Personalmente, creo que es muy amable al incluirnos.

—Somos los padres de Mark, ¿no es verdad?

—Aun así.

Aaron suspiró.

—No voy a poder comer nada, lo sabes. Probablemente sólo comerán jamón cocido.

Brenda se echó a reír.

—Por supuesto que no. Pero sea lo que fuere, podemos comer verdura. Es lo que hacemos siempre, ¿no es así? Y lo haremos otra vez.

—Pero no saben comer. La comida no tiene sabor.

—Por eso será que todo el mundo va a restaurantes franceses, porque la comida es tan mala.

—Sólo estaba bromeando, esposa literal. —Y ambos se echaron a reír.

—Es una mujer adorable, de costumbres muy sencillas, según la recuerdo. Sin embargo, tengo que confesar que me siento un poco intimidada. No estoy acostumbrada a tanta magnificencia. No es que la casa sea un palacio, todo lo contrario. Tiene esa clase de sencillez que cuesta una fortuna, ¿sabes? Y además el terreno, los jardines...

—Cualquiera que te oiga pensaría que vives en una pocilga. Cinco ambientes sobre Central Park oeste. No está tan mal.

—No dije que estaba mal, tonto.

—Entonces actúa de acuerdo con lo que eres. No seas tan humilde. Eres una aristócrata, ¿no es así?

—¡Y qué aristócrata!

—Te criaste en una casa en los suburbios, fuiste a una escuela privada y tus abuelos nacieron en este país. Yo viví en Washington Heights con el resto de los refugiados y pedí prestado dinero para estudiar medicina. Así que, según mis parámetros, eres una aristócrata norteamericana.

A él le encantaba hacerle bromas. Ella era tan seria e interpretaba todo tan literalmente que él siempre contaba con por lo menos cuatro o cinco segundos antes de que ella se diera cuenta de que estaba bromeando.

—Mark la quiere mucho, ¿sabes? Siempre la menciona.

—¿A quién? ¿A Ellen? Claro que debe de quererla mucho. Se casó con ella.

—Ay, Aaron, sabes muy bien que me refiero a la abuela. Ella quiere mucho a su familia. Pero los dos hijos no se hablan desde hace años, según dice Mark. Para la madre debe de ser difícil sobrellevar esos conflictos.

—Son los típicos blancos protestantes anglosajones. No tienen sentido de familia. No tengo nada contra ellos... bueno, quizá sí, un poco. Son gente fría. Y tacaña. No hacen nada por sus hijos una vez que crecen y salen de la casa. Me pregunto si el padre sabrá sobre las perlas que le regalaste a Ellen y sobre lo que hemos apartado para los nietos. Vivir en una de esas casas debe de ser como vivir en una heladera. No expresan lo que sienten. Van por todas partes murmurando con educación, fríamente, sin sentimientos.

—Tonterías, Aaron, no sabes nada sobre ellos. Ésos son estereotipos desagradables.

—Conozco a las personas.

—No, no las conoces. Tú sólo conoces los huesos rotos de las personas. ¿Cómo puedes hablar así cuando tu propia nuera es la mujer más dulce que hay sobre la Tierra? Y sabes que lo es.

Las cejas finas y oscuras de Brenda se enarcaron, a la espera de una respuesta, mientras lo observaba. Sí, él quería a Ellen. Hacía feliz a su hijo... Pero qué diferente hubiera sido si, por ejemplo, Mark se hubiera casado con la hija de los Cohen. Era una muchacha hermosa, y él siempre había esperado que ocurriera algo entre ellos. O si no con

Jennifer Cohen, por lo menos alguien de una familia que pudiera unirse a la de ellos. Podrían pasar las vacaciones juntos y sentirse cómodos. ¿De qué iba a hablar él en medio de ese campo? Se puso a murmurar algo ininteligible para Brenda.

—Estás cansado —dijo ella.

—No —respondió él, pues nunca quería admitir su cansancio.

—Sí, estás cansado. Me doy cuenta cuando murmuras. Estás cansado y, además, esta invitación no te gusta.

—Bueno, me ha hecho pensar. Recordé cosas que estuve tratando de olvidar. Por ejemplo, que Mark ya no va a la sinagoga. Y le pedí que lo hiciera.

—Mark sabe quién es. Lo habla abiertamente. Es judío, pero secular.

—¡Secular! ¿Qué diablos tiene eso de bueno?

Brenda suspiró.

—Qué tiene de bueno, no lo sé. A mí no me parece muy bueno. Pero así es la vida, el mundo de hoy, o parte de él. Y no hay nada que puedas hacer al respecto.

—¿Qué pasará con los niños? Míralos, ¡tan hermosos!

En un portarretratos doble sobre el piano estaban sus fotos: Freddie, de menos de dos años, sosteniendo una pelota, muy satisfecho, sonriendo, mostrando sus dientecitos; Lucy, de apenas seis, con la cabellera rubia y rizada, y un vestido con volados; su sonrisa era pícara, ya femenina.

—Los dos se parecen a mi madre —afirmó Brenda—. A esa rama de la familia.

—Tan hermosos —repitió Aaron, con los ojos húmedos—. Sí, pero, ¿qué va a ser de ellos? ¿Qué serán?

—Supongo que la familia de Ellen también piensa en eso. De todos modos, no podemos hacer nada al respecto, Aaron.

Durante varios minutos ninguno habló. La mesita sobre la cual estaba servida la comida había sido colocada junto a la ventana, para poder mirar el parque. Desde esa altura la pista de patinaje sobre hielo parecía un espejo manchado de puntos negros movedizos.

—No parece que hiciera tanto frío como para patinar —observó Brenda.

—Es hielo artificial.

—¿Te conté que van a exponer la pintura de Ellen en una de esas galerías que hay cerca de su departamento?

—Sí, me contaste.

Él se daba cuenta de que Brenda trataba de desviar la conversación. Su malhumor y hablar del antiguo tema no eran agradables para ella. Se esforzó por emplear un tono más alegre.

—Creo que ella tiene talento —comentó—. Esos paisajes que pinta son realmente bonitos.

—Eso es justamente lo que tienen de malo: son demasiado bonitos. Son sólo buenas imitaciones de las escenas campestres de Winslow Homer. Hasta hay un ciervo en la última pintura.

—No la menosprecies. A mí me gustó.

—Querido, discúlpame: eres un maravilloso cirujano, pero realmente no tienes idea sobre arte.

Aaron extendió un brazo hacia la pared opuesta, donde, encima de un grupo de sillas de acero inoxidable y cuero, colgaba una enorme pintura de tubos verdes y púrpura, retorcidos entre sí.

—¿Y tú sí? ¿A eso llamas arte? Parecen intestinos.

—¡Aaron! Da la casualidad de que es arte muy, muy bueno.

—Tonterías. Es un acto de rebeldía. Te gusta el arte abstracto sólo porque tus padres lo ridiculizaban. —Y se echó a reír, contento de tener de qué reírse.

—Bien, bien ríete. Es bueno verte reír.

—Por cierto, ¿cómo es que admiras tanto las cosas de Annette Byrne? Si te gusta la decoración de este ambiente, no puede gustarte el Chippendale.

—Bueno, no me gusta el Chippendale. Pero tiene cosas buenas en ese estilo y están dispuestas con buen gusto. —Reflexionó y agregó: —Ellen también tiene buen gusto, además de sus otras cualidades.

Aaron asintió.

—Es cierto. Cierto. Escucha, no tienes que persuadirme de que vaya. Ahórrate la energía. Voy a ir la semana que viene. No me muero por ir, pero lo haré. Llama y dile que estaremos ahí.

—No, le escribiré. Cuando se recibe una carta, se responde con una carta. Es lo correcto. Son personas muy correctas. —Y de repente se le oscureció el rostro. —¿Sabes? El único que me hace sentir mal es el padre.

—Sólo lo viste una vez.

—Sí, y con una vez fue suficiente. Sentí tanta ira; fue la única vez en mi vida que sentí tanta ira. Me quedó atragantado. Lo odié.

—El sentimiento fue mutuo, puedes estar segura.

—Arrugado como una pasa, con esos labios secos y los ojos como agujas apuntadas a mis ojos. ¿Quién se cree que es, el duque de Westminster? El duque sería más educado.

—No si su hija se hubiera fugado y casado con nuestro hijo, querida Brenda.

Ambos se echaron a reír.

—Si alguna vez me lo encontrara en algún lugar, le haría una escena —acotó Brenda, poniéndose seria—. No sé qué pasaría.

—Saldrías en los diarios, eso pasaría. No es que no me gustaría hacer lo mismo. ¡Nuestro Mark le parece poca cosa al señor Hitler! Le falta el bigote para parecerse a él.

—Dime, ¿cómo puede ser que una muchacha como Ellen venga de semejante padre? ¿Y cómo una mujer como Annette puede tener semejante hijo?

—Sólo Dios sabe. Quizás está en los genes. No me preguntes a mí, no soy psiquiatra ni Dios. —Aaron se puso de pie y acercó su silla a la mesa. —Vamos, suficiente de este tema. Si todavía quieres ir al cine, voy a acomodar los platos en el lavaplatos mientras te arreglas. Apúrate, o llegaremos tarde.

—Aaron, acabo de tener un pensamiento horrible. No crees que Annette haga ir a ese hombre también, ¿verdad?

—¿Qué hombre?

—El padre de Ellen.

—¿Estás loca? Por supuesto que no. A propósito, no te olvides de comprar alguna cosita para llevar.

—Lo sé. Mark me dijo a qué confitería tengo que ir en el East Side. A Annette le gustan los chocolates.

ble. Yo creo que [illegible] a ese hombre
también, ¿verdad?
—¿Qué hombre?
—El padre de Chen.
—¿Sí? [illegible] que quería [illegible]
[illegible] de compras [illegible] para
llevar.
—[illegible] mejor [illegible]
[illegible] el [illegible]
colores.

Capítulo 6

Ya para las cuatro de la tarde en diciembre, la tarde corta y oscura había acabado. La luz eléctrica inundaba la enorme habitación, daba de lleno en la alfombra sobre la cual Freddie jugaba con sus cubos y Lucy, acostada boca abajo, estudiaba su libro de lectura de primer grado. Echaba una luz más tenue sobre las mecedoras y los estantes con libros en el otro extremo de la habitación, y hacía brillar el caballete con la pintura inconclusa en la ventana que daba hacia el norte. Y en el extremo opuesto, también hacía brillar la estufa, la pileta de la cocina y la tabla de planchar, donde en ese momento trabajaba Ellen.

A pesar de la tarde corta había sido un largo día. Los días comenzaban a las seis de la mañana cuando, del otro lado de la partición que dividía el espacio en tres dormitorios pequeños, se oían los primeros movimientos de Freddie en su cuna. Primero era un gorgoteo, en parte palabras y en parte cantos. ¿Qué pensamiento estaría expresando y de qué música serían esas notas enérgicas? Después se oía el golpeteo de la cuna contra la partición. Por último el exigente pedido de atención, es decir, cambio de pañal y desayuno. De nada servía, ni siquiera un día feriado ni un domingo, taparse la cabeza con las sábanas; no existía forma de escaparse a ese llamado exigente. Era hora de levantarse.

"Al que madruga, Dios lo ayuda", solía decir el padre de Ellen cuando era hora de ir a la escuela. Y ahora así era como saludaba a sus hijos. "Qué gracioso cómo se mantienen esas pequeñas tradiciones, esas costumbres, aunque se cambie de forma de vida por completo", reflexionó Ellen.

Ellen todavía usaba los individuales de lino de su madre, aunque tuviera que plancharlos ella misma. Eran demasiado valiosos para llevarlos al lavadero, al igual que los vestidos hechos a mano que la abuela le compraba a Lucy. Su hija no tenía muchas oportunidades para usarlos, pero eran preciosos. Ellen había usado vestidos parecidos cuando era niña, en su lejana infancia de conciertos para niños y fiestas de cumpleaños en el East Side, con sombreros de papel *crêpe* y bolsitas con juguetes para llevar a casa.

Era otro mundo en el que vivía ahora. No era un mundo de pobreza —en absoluto— pero sin duda era diferente. Ahí los gastos eran muy importantes. Había que cuidar el dinero, hacer cálculos muy precisos antes de gastar siquiera un centavo. A su padre le preocupaba su situación. Siempre estaba haciendo preguntas u ofreciéndose a comprar o a pagar esto o aquello, y siempre recibía un no como respuesta. Los padres de Mark hacían lo mismo y recibían la misma respuesta.

Pues Ellen y Mark tenían necesidad de probarse a sí mismos. Cuando dos personas se casan desafiando con terquedad cientos de objeciones y advertencias de fracaso, deben arreglarse por su cuenta. Deben demostrar —y Ellen siempre sonreía al recordar el antiguo, trillado pero tan cierto eslogan— que "el amor vencerá". Bueno, claro que a veces no era así. Entonces pensaba en su pobre prima Cynthia. No obstante, en el caso de Mark y de ella, el amor había vencido.

Observó a sus hijos. Nacidos del amor, habían sido dotados de inteligencia y belleza. La cena sabrosa, de pastel de pollo y verduras, se estaba cocinando en el horno. Su marido pronto iba a llegar a casa. ¿Qué más podía pedirse?

Sus oídos, al caer la tarde, siempre estaban alertas al ruido del ascensor, que antes, cuando el edificio era un depósito, servía para elevar cosas pesadas y era muy lento. Se oían los pasos de Mark cuando corría por el vestíbulo; rara vez caminaba; casi siempre corría hacia cualquiera de sus destinos. Ella abría la puerta, y ahí estaba él con su beso, su sonrisa y la corbata ya desanudada.

Mark era la clase de persona que se sentía más cómodo en jeans y zapatillas. A cualquiera que lo conocía bien le resultaba divertido imaginarlo o verlo en su empleo de la galería del centro de la ciudad, vestido con un fino traje oscuro y corbata rayada digna de un banquero o de un abogado de Wall Street. Pero Mark amaba su trabajo, y como él decía: "La vestimenta es parte del trabajo". Pero le quedaba muy bien. Era alto y esbelto, de expresión seria; era cordial y respetuoso, con voz bien modulada. En una palabra, tenía elegancia.

La abuela decía que formaban una hermosa pareja. Ninguna otra persona les había dicho eso; los amigos no solían hacer ese tipo de comentarios, y de sus respectivas familias, dadas las circunstancias, no podían esperar semejante cumplido. No obstante, Ellen sabía que era cierto: hacían una hermosa pareja.

Ella también era alta y alguna vez había sido tan rubia como Lucy ahora. Se peinaba la cabellera castaña con algunas mechas sueltas en un rodete de bailarina, de modo tal que su largo cuello quedaba expuesto, así como su gracioso perfil. En sus muchos mandados por el vecindario, para hacer compras, llevar y traer a Lucy de la escuela, y llevar a Freddie a jugar en el parque diminuto, usaba jeans como casi todo el mundo por ahí. De lo contrario, usaba ropa sencilla de colores vivaces, pues amaba el color: aguamarina, damasco y lapislázuli. Casi no usaba ni joyas ni *bijouterie*, sólo aros baratos que compraba en negocios de novedades, además de la sencilla alianza, que era similar a la de Mark y, en las ocasiones apropiadas, el espléndido collar de perlas, regalo de su suegra. En esencia, había sido un gesto de reconciliación de Brenda cuando nació Lucy. Ellen quería a Brenda, quien, a pesar de todo, era muy tolerante y de buen corazón.

Las joyas de su madre, que como era natural había heredado, estaban en una caja de seguridad en el Banco. Eran demasiado formales y valiosas para la vida que llevaba Ellen, tan diferente de la vida de Susan. Últimamente pensaba y se refería a su madre como "Susan"; de ese modo le parecía más joven y llena de la felicidad que alguna vez debió de haber gozado. La gente siempre la describía como *un sol* antes de la larga enfermedad, cuando Ellen siempre la llamaba "mamá" o "mami".

"Si Susan hubiera vivido para vernos casados, le habría hecho algunas preguntas", pensaba Ellen. "Y creo saber las respuestas. O quizá, dada la presión que papá le imponía, no habría respondido. Sin embargo, creo que ella sabía lo que estaba sucediendo y simplemente no contaba con la fortaleza física para ponerse de mi lado. Yo percibía eso, ¿no es verdad? ¿No fue por ese motivo que Mark y yo esperamos hasta su fallecimiento? Ella tenía suficiente que soportar sin el agregado de un escándalo social, por más absurdo e insignificante que fuera..."

Después de trabajar, o los sábados que tenía libres durante ese primer año después de su graduación en bellas artes, Ellen se dedicaba a pasear por las galerías de arte desde la punta de Manhattan hasta los tesoros del Upper East Side. A veces se limitaba a mirar una vidriera y, al no ver nada que la tentara, seguía caminando. En otras ocasiones, cuando algo le gustaba, entraba sin intención de comprar, con el solo propósito de satisfacer su ávida mirada.

En especial le gustaban las antiguas pinturas de paisajes o las obras contemporáneas que daban la sensación de un mundo tranquilo, sin industrias —aunque esa preferencia sólo revelaba una poco práctica nostalgia—, un mundo de verdor y espacio, de animales domésticos, de cosechas y de cambio de estaciones. Esa nostalgia probablemente tenía que ver con los largos veranos pasados en la casa de la abuela. No tenía importancia. Y así fue como, un día de primavera, entró en una galería de la calle Cincuenta y Siete.

Un joven muy apuesto se le acercó.

—¿Puedo mostrarle algo? —le preguntó.

Ellen odiaba que le preguntaran eso. Sólo quería mirar, y así lo manifestó.

—Muy bien. Con gusto responderé cualquier pregunta que quiera hacerme.

Ellen siguió mirando. Sobre las paredes colgaban pinturas magníficas, que se destacaban en exquisitos marcos dorados que en sí mismos costaban más de lo que Ellen podía pagar. En su casa había pinturas costosas, pero no eran de su gusto. Además, pertenecían a sus padres, no a ella. Parada frente a una pintura de un arroyo en medio del bosque bajo la nieve, pensó: "Daría lo que no tengo para que fuera mía... o mejor aún, para poder pintarla".

Había dos salones. Después de recorrer lenta y cuidadosamente todas las paredes, volvió al arroyo. Todavía estaba allí parada, absorta en la luz invernal y la quietud en medio de la que le parecía oír el goteo del agua sobre las rocas, cuando una voz le habló a sus espaldas.

—Ese cuadro parece hablar, ¿no es así?

—Sí, y le estoy respondiendo —contestó Ellen.

Él se echó a reír con una risa moderada, discreta y profesional, como correspondía. Había cierta dignidad en torno de él, cierta formalidad, que ella creyó inglesa. Conocía muy poco sobre las costumbres británicas, excepto lo que había visto en su única visita a Inglaterra, y naturalmente lo que veía en televisión o en las películas. Más tarde se enteró de que él llevaba puesto un traje inglés, un regalo de sus padres en un viaje a Inglaterra. Pero ésa era otra historia.

—¿Hay algo que le gustaría saber sobre el cuadro? —preguntó él.

—Pues, sí, el precio —respondió ella. Como era experta en bellas artes y reconocía todos los nombres de los artistas, fácilmente podía calcularlo.

—Treinta y cinco mil dólares. Un ejemplo excepcional de su obra. Murió el año pasado, ¿sabe?

—Sí, lo sé.

—Los precios de sus obras van a aumentar, así que sería una inversión muy buena.

Ella no respondió. El joven tenía ojos hermosos, extraordinarios, marrones pero con un destello dorado alrededor de las pupilas. ¿O sería la luz que se filtraba desde la calle?

—Por supuesto, comprendo que usted compraría una obra como esta por amor al arte; sin embargo, siempre es bueno saber que las inversiones que hacemos valen la pena.

¡Él tenía tantas ganas de vender! Era natural: trabajaba a comisión. La galería no estaba muy concurrida, y había otros dos hombres, uno parado y el otro sentado; este último daba vueltas ociosamente las páginas de un catálogo. Debía de ser una vida muy difícil, con muchas frustraciones.

—Lo pensaré —le dijo, consciente de que él debía de haber oído esa excusa cientos de veces de gente que sólo miraba.

Por un momento de indecisión los dos se quedaron ahí parados; ella vio que la mirada de él se posaba en su mano, donde estaba el anillo de compromiso de diamante pulido de cuatro quilates, regalo de Kevin. Cuando él habló, había cierta esperanza en su voz. Después de todo, una joven con semejante anillo... ¿acaso no podía hacer algo más que sólo pensar en esa nieve cayendo sobre el arroyo del bosque? Con una inclinación casi imperceptible, le entregó su tarjeta.

Mark Sachs, rezaba.

—Ellen Byrne. Lo pensaré —repitió—. Y muchas gracias.

De regreso a su casa, caminó lentamente por la Quinta Avenida, donde ya no había negocios, sólo el parque soleado a la izquierda, lleno de cochecitos con bebés hermosos y perros preciosos guiados por paseadores profesionales. A la derecha, todo el trayecto hasta el museo e incluso más allá, las paredes de piedra caliza de los edificios de departamentos, con sus marquesinas verdes y porteros de uniforme marrón. En uno de esos edificios Ellen todavía vivía con sus padres, ya que no tenía sentido mudarse sola cuando pronto iba a casarse.

Se le ocurrió que lo más probable era que pasara la vida en un departamento parecido: espacioso, tranquilo y lleno de valiosas posesiones de sencillo buen gusto. Sus hijos crecerían igual que ella, jugando en el parque y haciendo navegar un maravilloso barco, regalo de su séptimo cumpleaños, en el lago. A la tarde harían los deberes en sus pequeños dormitorios con vista a la calle lateral; las habitaciones importantes —la sala de estar, la biblioteca y el dormitorio principal— tendrían vista al parque.

El dormitorio principal. Las dos palabras juntas tenían un sonido dominante, casi patriarcal, cuando se pensaba en ellas. Y pensándolo mejor, encajaban bien con Kevin, quien era autoritario, competente y también muy bueno.

Cuando su padre lo conoció, comentó:

—Ese joven llegará lejos.

Ya había llegado lejos. Aunque todavía no tenía treinta años y sólo hacía cuatro de su graduación como abogado, le habían ofrecido una posición en la oficina parisina de la empresa. En ese momento él se encontraba en París capacitándose. Cuando terminara, él iba a volver para casarse con ella y luego ambos vivirían en el extranjero dos o tres años; después, según lo previsto, él volvería a la oficina de Nueva York con un ascenso.

La perspectiva de vivir en Francia, según lo analizaba ahora, extasiaba a Ellen. Era un éxtasis adolescente. Desde su visita a Francia con sus padres, tenía con ese país un largo romance. También era un romance lo que había tenido con Kevin.

Los habían presentado por casualidad en el campus universitario, donde ella estaba por recibirse y él ya se había graduado de abogado. Él estaba de visita ese día. Un grupo de cinco o seis, entre las que se encontraba la compañera de cuarto de Ellen, se dirigía a la cafetería, así que Ellen las acompañó. Al lado de Kevin había otro hombre, pero no despertó ningún interés en ella. Fue Kevin, de ojos azules y de aspecto audaz, quien atrajo la atención no sólo de las mujeres sino también la de los hombres de la clase.

Él ya había ingresado en el mundo, ese mundo que con frecuencia, en el peor de los casos, se asemejaba a una selva peligrosa, o en el mejor de los casos, al juego de las sillas, donde todos bailan, sabiendo que no hay suficientes asientos y que alguien va a quedar de pie. Pero al mirar a Kevin, uno estaba seguro de que él no iba a ser de los que quedaran parados.

Ellen nunca esperó que se fijara en ella. De hecho, había salido con muchas clases de hombres en el campus: miembros del centro de estudiantes, atletas y poetas solitarios, pero todos eran de su misma edad o casi. Por eso, cuando Kevin le pidió su número telefónico quedó sorprendida.

Su compañera de cuarto también se sorprendió. Su rápida y escrutadora mirada parecía decir: "¿Por qué tú? ¿Qué tienes de especial?". No obstante, esta compañera le informó a Ellen ciertos datos importantes sobre Kevin. Provenía de una familia de Ohio que tenía algo que ver con el acero. En Nueva York, donde vivía solo, tenía un departamento cerca del World Trade Center.

—Es probable que nunca te llame —predijo la

compañera de cuarto—. Es demasiado engreído para meterse con una novata. Eres demasiado joven para él.

Pero resultó que no era "demasiado engreído"; resultó ser bastante modesto, y la llamó. Cuando sonó el teléfono pocos días después, él le preguntó cuándo iba a volver a la ciudad. Para las vacaciones de Navidad, le respondió ella, y le dio el número de la casa de sus padres. Su padre advirtió con aprobación que él no la "recogió" en el vestíbulo, sino que entró en el departamento para presentarse.

—Eso es lo que siempre se espera de un hombre.

A partir de ahí todo avanzó con asombrosa rapidez. La primera vez fueron a un espectáculo en Broadway. En la segunda salida fueron a bailar al salón Rainbow. La tercera vez fueron a cenar a uno de los restaurantes franceses más nuevos, uno de los más recomendados por los críticos. Las luces eran tenues, los murales lo transportaban a uno, según donde se mirara, a las costas de Bretaña, o más hacia el sur a los Alpes, y las mesas estaban lo suficientemente separadas como para mantener una conversación íntima.

Pero la conversación entre ellos no fue lo que se diría "íntima", sino más bien explicativa. Ellen se enteró de que ya tenía fluidez en tres idiomas y de que trataba de hacerse tiempo para aprender mandarín, porque China, le gustara o no, y no le gustaba, sin duda sería la fuerza dominante en el planeta. Kevin supo que ella esperaba conseguir un trabajo maravilloso en un museo de arte importante en algún lugar, prácticamente en cualquier lugar, porque esos empleos eran difíciles de conseguir. En todo caso, estaba segura de que ingresaría en el mundo del arte; lo amaba ardientemente, y aunque no tenía talento, intentaba dibujar y pintar. Tenían intereses parecidos y algunos conocidos en común.

Todas estas cosas, en cierto modo raro y vago, lo hacían parecer menos extraño. Así que cuando ya no pudieron quedarse sentados bebiendo vino —que a Ellen no le gustaba mucho pues se dormía—, seguido por café —que la despertó—, cuando tuvieron que irse y quedarse parados en medio del viento helado y él sugirió que fueran a cobijarse a su departamento, pareció la cosa más razonable.

En aquellos años, reflexionaba Ellen con frecuencia después de casada, la gente tomaba con mucha naturalidad las relaciones sexuales. Era muy común ir a la cama con alguien después de pocos días de conocerse, aunque no se tuviera muchas ganas de hacerlo. En realidad Ellen no quería; nadie la había conmovido tan profundamente, como se suponía que debía ser; se preguntaba si alguien lo lograría alguna vez.

Kevin fue tierno, pero no tanto. Él pensaba que ella era absolutamente hermosa, absolutamente maravillosa, y así se lo dijo, una y otra vez. Después la llevó a su casa en taxi, la acompañó hasta la puerta, la besó y al día siguiente le envió un magnífico ramo de dos docenas de rosas.

Quizá las rosas fueron demasiado obvias. "Si se tratara de mi hija, sumaría dos más dos", pensaba Ellen. Pero su madre acababa de concluir un tratamiento de quimioterapia y se sentía demasiado mal para advertir nada, mientras que su padre, supuso Ellen, le tenía tanta simpatía a Kevin Clark y todo lo que a él se refería que no podía cuestionar nada. De todos modos, no podía hacer nada al respecto, y sin duda lo sabía.

Uno le toma cariño rápidamente a alguien que nos rinde honores, siempre y cuando, por supuesto, esa persona sea atractiva. Cuando Ellen volvió a la universidad, los llamados telefónicos nocturnos de Kevin le dieron algo en que pensar todo el día y algo con lo cual sentirse realizada al recordarlos. Con la mayor frecuencia posible ahora volvía a su casa los fines de semana, algo que nunca había hecho antes. Una vez Kevin fue a visitarla un fin de semana, y pasaron unas horas en un motel, algo que Ellen tampoco había hecho nunca.

—Ellen es una muchacha sencilla —decían quienes la conocían bien—. Siempre ha tenido muy pocas pretensiones.

De repente, quiso que la vida fuera pródiga, pero no en sentido material, sino en lo amoroso y sensual. Compró ropa interior y perfumes caros para las tardes que sus padres suponían que pasaban en el teatro o en sitios similares. Sabía que era objeto de envidia, a excepción, quizá, de sus amigas feministas.

Pasó los exámenes finales, le fue muy bien y se graduó en mayo. Invitó a Kevin porque él dijo querer estar presente, así que ahí estaba él, junto a sus padres y a la abuela, entre la multitud que la vio pasar con la procesión académica en toga. Todo el mundo sabía, pero nadie se animaba a decir nada sobre lo que vendría a continuación.

Ocurrió en el departamento de Kevin más tarde esa semana. Desde el piso veintidós ella miraba la extensión y el brillo del Hudson: al norte, hacia el puente que lo atravesaba, y al sur, hacia la punta de la isla, donde se encontraba con la bahía.

—Parece —murmuró Ellen— que en esta ciudad lo primero que la gente quiere de un departamento, si es que puede pagarlo, es la vista.

—Eso depende. Este departamento me gusta, pero para toda la vida me agrada la clase de lugar donde tú vives, más al sur y cerca del parque, para que nuestros hijos puedan jugar como tú.

Ellen se dio vuelta. Ése era el momento más importante de su vida. ¿Por qué no gritaba o sentía algo increíble? Se sintió meramente complacida, muy complacida. Pero, después de todo, no era ninguna sorpresa. Le echó los brazos al cuello y se besaron. Fue un beso muy largo.

—Supongo que la respuesta es sí. Y por eso vine preparado. Aquí está.

Se refería, por supuesto, al anillo de brillante, el anillo familiar que había sido guardado para la novia de Kevin. Ahora todo estaba sellado, y pronto sería firmado. Iban a tener que esperar menos de un año hasta que él se estableciera en París. Mientras tanto él tendría que viajar a distintos puntos de Europa para la firma donde trabajaba. Y mientras tanto todos estaban felices. Los padres de Kevin vinieron desde Ohio, fueron invitados a una cena de celebración, y a otra en la casa de la abuela en el campo. Hubo champagne y flores; hubo brindis. Qué hombre afortunado era Kevin. Qué afortunada, Ellen.

Ella era muy consciente de todo esto aquel día que caminaba a su casa después del encuentro en la galería en la calle Cincuenta y Siete.

Su madre estaba descansando sobre un sofá en la biblioteca. Casi todas las tardes, en ese último año, ella descansaba. Sin embargo, para no admitir la gravedad de su enfermedad, fingió sorprenderse. Su disculpa le dolió a Ellen.

—No sé qué me pasa hoy. Supongo que será la primavera que me produce modorra. Kevin llamó desde París, querida. Le dije que todavía no habías llegado. Va a volver a llamar a las cinco.

A las cinco en punto, como siempre, sonó el teléfono.

—Te extraño terriblemente —dijo él.

—Yo también a ti.

—¿Qué hiciste hoy? ¿No sales más temprano los miércoles?

—Sí, pero después fui a caminar.

—¿Adónde fuiste?

Kevin tenía la costumbre de querer explicaciones detalladas de todo, lo cual a veces molestaba a Ellen. Sin embargo, como él daba las mismas explicaciones de sus actividades, ella no debía permitir que eso la perturbara.

—Estuve mirando galerías de arte.

—¿Encontraste algo que te gustó?

—Sí, por treinta y cinco mil dólares.

—Bueno, no puedo prometerte nada de ese precio, mi amor. Pero te diré que aquí, en Francia, hay una galería de arte en casi todos los pueblos más o menos grandes, y no siempre son tan costosas las obras. Espera a que llegues aquí. Verás muchos paisajes, de la clase que a ti te encanta. ¿Cómo está el tiempo por ahí?

—Es una hermosa tarde de primavera, cálida y suave.

—Es una perfecta descripción de tu persona. Aquí estuvo lloviendo todo el día, y todavía está diluviando. ¿Qué estás haciendo en este preciso momento?

—Estoy vaciando la cartera. Está llena de porquerías.

—Estuve contando los minutos para las cinco. Ahora voy a apagar la luz. Mañana me espera un día muy ajetreado.

Cuando colgó, Ellen se quedó con la cartera sobre la falda, arrojando cosas en el cesto: un lápiz labial gastado, un pañuelo roto, un trozo de envoltorio de caramelo y una tarjeta. *Mark Sachs*, rezaba, debajo del nombre de la galería.

Por un momento sintió un poco de pena. ¿No habría quedado atónito el muchacho si ella hubiera respondido: "Sí, me encanta, lo llevo"? Le hubiera gustado verle la cara, pero era absurdo. Rompió la tarjeta y la arrojó, también, en el cesto.

* * *

Unas dos semanas después Ellen caminaba por la calle Cincuenta y Siete con un par de zapatos que acababa de comprarse. Las vidrieras estaban llenas de objetos coloridos; juguetes para adultos, como ella los llamaba, a pesar de disfrutarlos. Allí, en la vidriera de la galería, estaba "su" cuadro. Pensó que era realmente precioso y se preguntó si, por ridículo que pareciera, ella podría tratar de pintar algo por el estilo: un arroyo en medio de la nieve, el agua oscura, los árboles oscuros y despojados, el cielo gris claro, casi blanco...

—¿Así que todavía está pensándolo? —Y ahí estaba su vendedor, saliendo por la puerta.

—No, no puedo de ningún modo. La única razón por la que dije que lo pensaría fue que opté por la excusa fácil.

Él sonrió.

—La gente hace eso todo el tiempo. Es comprensible.

—En realidad lo que estoy pensando es cómo podría tratar de pintar algo parecido.

—¿Eres artista?

—No me atrevería a decir eso. Soy un proyecto de artista.

—Hasta los más grandes tuvieron que empezar.

Hubo una pausa sin nada que llenarla, y ella se alejó de la vidriera.

—¿Vas hacia el este o el oeste? —le preguntó él.

—Al oeste, hasta la Quinta Avenida y después hacia el centro.

—Yo también.

Caminaron hasta la esquina, esperaron la luz

roja y doblaron hacia el norte. Ella se sintió incómoda y tonta al caminar junto a este completo extraño sin tener nada que decir.

Mark Sachs era su nombre. Recordó cómo quedaba el nombre en la tarjeta: discreto y refinado, casi como en relieve.

—Suerte que pude salir temprano —dijo—. No estamos muy ocupados en esta época del año. Es bueno tomar un poco de aire.

—No hace demasiado calor para caminar. Voy a cruzar la avenida y a atravesar el parque.

—Yo también. Cada que vez que visito a mis padres en Central Park oeste me gusta cortar camino por el parque y salir por el Museo de Historia Natural. Así hago dos kilómetros y medio de ejercicio.

Ahora el diálogo se estaba iniciando.

—Han hecho maravillas en ese museo. Pero lo que siempre me encantó fueron los museos de arte. Creí que después de graduarme iba a conseguir un gran empleo en seguida, pero no fue así. Nunca te dicen lo difícil que es encontrarlo. Así que estoy trabajando en un local del museo; me divierte y tengo la esperanza de que, ¿quién sabe?, algo surja.

—Yo tomé este empleo de la misma manera. Sabía que quería hacer algo en el mundo del arte. No quería ser médico ni abogado ni maestro. Quizá, si hubiera nacido en el oeste, tendría ovejas, no sé. Así que obtuve un Master en Administración de Empresas con la idea de que algún día tendría mi propia galería de arte.

Unos niños estaban jugando con barcos de juguete en el lago. Por un momento se detuvieron a mirar.

—¿Qué sería Nueva York sin el parque? —se preguntó Ellen en voz alta—. Yo jugaba con barcos aquí mismo. En realidad crecí en este parque. Me siento como en casa, como si me perteneciera.

—Lo mismo me pasa a mí, desde los patines hasta el basquetbol.

—Debes de vivir justo enfrente de mí. Yo estoy cerca del Museo de Arte, y tú del de Historia Natural.

—No, tengo un departamento en el Village con dos amigos de la universidad. Son mis padres los que viven en el centro. Trato de visitarlos los miércoles.

—Qué bien. Yo vivo con mis padres desde mi graduación, en mayo pasado, porque... —Y se interrumpió, con la sensación de que esas explicaciones eran inadecuadas para un extraño.

Él echó un vistazo a su reloj.

—Bueno, llego temprano para la comida. Van a sorprenderse. —Sus caminos se bifurcaban, y sin embargo él todavía no se iba. —Me gustó hablar contigo.

—Sí —respondió ella con una sonrisa. Consultando su reloj, observó: —Sí, es temprano para la cena, pero en casa no hay nadie que se sorprenda. Mis padres están en Maine.

—¿Así que vas a leer un libro mientras comes? Eso me gusta hacer a mí.

La situación era absolutamente ridícula. Dos

extraños manteniendo una conversación artificial y tonta en lugar de seguir camino.

—No —respondió—. No pude leer el diario de la mañana. Voy a comprarlo y a leerlo en el negocio de sándwiches.

—¿Un sándwich? ¿Es lo único que vas a comer?

—Ah, tienen más cosas si tengo ganas. Hay un sitio muy bueno sobre Madison. En realidad es mucho más que un negocio de sándwiches.

Y siguieron ahí parados, donde el camino se bifurcaba. Él parecía estudiar el rostro de ella, después estuvo a punto de hablar, pero cerró la boca, y luego, por fin, dijo:

—¿Te molestaría si... quiero decir, podría acompañarte?

Ellen tuvo un momento de duda. ¿No era esto, pensándolo bien, una conquista? Por otra parte, ¿qué tenía de malo? Podría considerarse una aventura pequeña, insignificante, un poco de diversión.

Frente al restaurante había algunas mesas debajo de una marquesina. Después de sentarse y ordenar la comida, volvió a producirse un incómodo silencio hasta que Ellen lo rompió, al decir con franqueza:

—Lamento mucho haberte hecho perder tanto tiempo aquel día. De veras creíste que iba a comprar, ¿no es verdad?

—Nunca se pierden las esperanzas. Y si una persona tiene aspecto... es decir... tiene aspecto de...

Ella se echó a reír, interrumpiéndolo.

—Es por este anillo. La gente lo ve y naturalmente supone cosas. No puedo culparlos, aunque no me gusta en absoluto la idea.

—¿Entonces para qué lo usas?

—Es mi anillo de compromiso.

Él pareció incómodo, como si hubiese metido la pata, aunque Ellen sabía bien que ella misma había sacado el tema.

—En este momento él está trabajando en París, en una sucursal del estudio de abogacía para el que trabaja.

—Así que vivirás en París.

—Por uno o dos años. Espero aprender cosas que pueda agregar a mi currículum laboral cuando vuelva.

—Pasé un año en el exterior mientras estaba en la universidad. Después volví dos veranos y escribí un artículo sobre cómo cambió la arquitectura cuando Hausmann reconstruyó la ciudad.

—¿Se publicó?

—En una revista muy pequeña. No tuvo mucho éxito. No era muy original. Pero algún día me gustaría escribir un libro sobre cómo se reconstruye una ciudad entera como hizo Hausmann.

—¿Te gusta lo que haces ahora? —preguntó ella con curiosidad.

—Estoy ahorrando dinero para esa galería de arte y para el libro que quiero escribir, así que tiene que gustarme. Mientras tanto, aprendo cosas. Estoy en el mundo real, conociendo gente. Todos los días sucede algo interesante. A veces triste, a veces gracioso.

Su mirada se fijó en la de ella. Ellen se sorprendió al volver a ver el hermoso brillo alrededor del iris. Era un brillo vivaz, y sin embargo, cualquiera diría que su mirada parecía pensativa.

—¿Qué ocurrió hoy? ¿Algo gracioso o triste?

—Te contaré y tú decidirás. Una pareja de ancianos entró y miró los cuadros un largo tiempo. Eran gente del campo, y éste era su primer viaje a Nueva York. Él quería comprarle un regalo a ella. Ella dijo que le gustaría un cuadro para colgar sobre el sofá. El que le gustó fue el tuyo, el de la nieve sobre el arroyo. Buen gusto. "¿Te gusta, madre?", le preguntó él, aunque era evidente que ella no era su madre. Y preguntó el precio. Así que yo respondí que era treinta y cinco. "Es bastante caro, pero como es su cumpleaños, tiene derecho", comentó él. Y sacó la billetera. "Voy a pagar en efectivo." Vi que mi colega tenía la cara roja, estaba por explotar de risa. Le dije al hombre, con mucha delicadeza, que había habido un malentendido, que debí haberle explicado que tenía que agregar algunos ceros. Estaba atónito. "¿Quiere decir que eso cuesta más de mil dólares? Discúlpeme, señor, no es mi intención ser impertinente, pero es un robo." La pobre mujer estaba desilusionada y ambos salieron sacudiendo la cabeza. ¿Qué opinas de esta anécdota?

—Me conmueve. Es mucho más triste que graciosa.

—Por supuesto.

Por alguna razón la sencilla anécdota la había conmovido en extremo. De repente tuvo la sensación de que sus sentidos se habían agudizado, al percibir el feo brillo del sol del atardecer sobre el metal, los cubos de hielo moviéndose en el vaso, el rostro de ansiedad de una mujer que pasaba.

—Cuéntame una graciosa —le pidió.

Él obedeció, como si ella le hubiera dado una orden. Mark era un narrador, un artista. Después de beber un segundo vaso alto de café helado y de que el Sol desapareciera detrás de los edificios del otro lado de la avenida, se dieron cuenta de que era tarde.

—Eres un humorista —le dijo ella—. Realmente tienes gracia.

—Gracias. Si tengo alguna gracia, la heredé de mi padre. Cuando era niño la hora de la cena era muy divertida. Todavía lo es. Lo cual me recuerda que debo irme corriendo.

Ellen se fue a su casa pensando en Mark Sachs. Era una persona interesante, tan vivaz. A Ellen le daba la sensación de que nunca perdía un momento. Entonces se le cruzó otro pensamiento: "¿Cómo será haciendo el amor?" Se sintió muy tonta y avergonzada de su estupidez; descartó el pensamiento de plano. Después de todo, ¿quién era él? Nunca iba a volver a verlo.

Llegó otro miércoles. Hacía mucho calor; era la clase de día en que no se piensa en otra cosa que en estar cerca del agua, o de no ser eso posible, de leer a la sombra. El lugar perfecto en el parque era aquel donde el camino se bifurcaba hacia el West

Side. Hasta había brisa allí y estaba muy tranquilo.

De tanto en tanto, cuando pasaba gente, Ellen miraba por encima de su libro. Unos niños pasaron en patines. Dos niñeras empujaban cochecitos de bebés. Un anciano arrojaba migas de pan a los pájaros mientras caminaba. Y de repente apareció Mark Sachs.

Él se sentó junto a ella y echó un vistazo a su libro.

—Francés. Te estás preparando. ¿Te irás pronto?

—La fecha no fue fijada, pero pronto. Él tiene que... tenemos que buscar departamento.

—Mi lugar favorito es Place des Vosges.

—¡Qué gustos caros!

—Sólo estoy fantaseando. ¿Qué prefieres tú?

—Depende de la rapidez con que Kevin ascienda en la empresa y hasta dónde llegue. —De repente, consciente de su obligación, agregó con lealtad: —Es muy inteligente. Alguien me dijo que subió como un cohete.

—Así que, tarde o temprano, podrás pagar el arroyo con nieve, o algo parecido.

—Te dije que yo misma voy a pintar uno.

—¿De veras eres buena?

Ellen sacudió la cabeza.

—No lo creo, aunque una vez colgaron un cuadro mío en la iglesia de un pueblo.

Él asintió, y luego dijo abruptamente:

—Yo soy judío. Ortodoxo. Es decir, mis padres lo son.

—¿Y qué? Yo soy de la Iglesia Episcopal.

Él se encogió de hombros.

—No lo sé. Sólo quise dejar las cosas en claro, supongo.

Ella se preguntó por qué quería dejar las cosas en claro…

Ahora ella continuó con el tema.

—Suena interesante. Cuéntame sobre ti… Si quieres —agregó rápidamente.

—No hay mucho para contar.

—Ah, no. Siempre hay algo para contar. Por ejemplo, ¿por qué no eres ortodoxo como tus padres?

—Simplemente nunca me convenció. Mi padre es un buen hombre, con quien a veces resulta difícil convivir si no estás de acuerdo con él sobre algunas cosas. Quería que fuera cirujano como él. Lo deseaba mucho, así que fui una gran desilusión para él, aunque ya no lo menciona. Finalmente, se vio obligado a aceptarme como soy. Mamá acepta las cosas con más facilidad. —Mark sonrió. —O por lo menos eso finge. Es asistente social, entrenada para solucionar conflictos y para que reine la paz. De todos modos, su historia es muy diferente de la de mi padre. Ella nunca tuvo que luchar, y ésa es una gran diferencia.

El candor de Mark conmovió a Ellen. No había revelado ninguna intimidad, pero hablaba con tanta soltura, tanta confianza, a una extraña. De repente, naturalmente, las palabras empezaron a salir de su boca.

—Hoy te estuve esperando. Recordé que dijiste que pasabas por aquí los miércoles.

—Creo que eso dije.

Eso no tenía ningún sentido. ¿Por qué había admitido semejante cosa? El hombre iba a pensar que lo estaba persiguiendo. Además, era verdad sólo en parte.

—Quiero decir —agregó Ellen para corregirse— siempre vengo aquí. Es mi lugar favorito. Entonces se me ocurrió que sería una coincidencia graciosa si volviéramos a encontrarnos aquí.

Él le miraba los labios, que ese día los tenía maquillados de coral, haciendo juego con el vestido veraniego. Entonces la miró a los ojos. Los ojos de él sonreían.

—¿Podríamos, quizá, cenar una de estas noches? —le preguntó—. Si es una propuesta inadecuada, por favor, dímelo.

—¿Inadecuada? —repitió ella.

—Sí, porque estás comprometida.

—Siempre salgo con amigos. A Kevin no le molesta. Después de todo, ¿qué significa una cena?

—Bien entonces, te llamaré. Pero primero quiero que hagas algo. Busca en la guía telefónica el nombre y la dirección del consultorio de mi padre. Es el doctor Aaron Sachs. Sabrás de dónde vengo y que por lo menos tengo un pasado respetable.

—¿No crees que puedo juzgar por mí misma si eres respetable?

—No, podría ser Jack el Destripador disfrazado de empleado. Deberías tener más cuidado.

Ella se echó a reír.

—Está bien, Jack, lo tendré.

Cuando él la dejó, ella se quedó mirándolo. En un recodo del camino se detuvo, se dio vuelta para mirarla, no saludó, y continuó avanzando.

El Sol se había puesto y el aire era sofocante. A Ellen le costaba levantar los pies al volver a su casa. Y un gran cansancio la invadió. En su casa, en el contestador automático, había un mensaje de su padre.

—Tu madre no se siente bien. No es nada grave, pero ambos creemos que estará mejor en casa. Volvemos mañana.

El mensaje subliminal era claro: se acercaba la hora de su madre. Había tardado en llegar y la noticia ya no producía conmoción, más bien piedad. Y sin embargo, cuando pasó junto a la fotografía de su madre sobre el piano tuvo que darse vuelta.

En eso sonó el teléfono, con un ruido estridente en la habitación silenciosa.

—¿Dónde estuviste? —le preguntó Kevin—. Te llamé tres veces esta última hora.

—En el parque, leyendo.

—¡Pobrecita! Sé que te sientes muy sola.

—Bueno, tengo mi empleo y leo mucho. —Parecía que no había más para decir.

—Suenas muy distante, Ellen. ¿Qué ocurre?

—Mamá volvió a tener problemas de salud. Papá la traerá a casa mañana.

—Ay, Dios, cuánto lo siento. Aunque sabías que esto iba a ocurrir. Serás fuerte. Te ayudaré como pueda.

—Sé que lo harás, Kevin.

—Ahora tengo una buena noticia para ti. Vuelvo a casa para el Día de Acción de Gracias, y estaré en los Estados Unidos dos meses, así que podremos casarnos y volver a Francia juntos para principios de febrero.

—Sí, pero, ¿y si le pasa algo a mamá?

—Será una boda íntima de todos modos. Sólo para la familia. Muy sencilla. En realidad, me gusta más eso que una gran fiesta.

Cuando colgó, Ellen empezó a llorar. No sólo por su mamá. ¿Por qué era? Estaba confundida. Por todo.

Mark y Ellen cenaron juntos. Fueron a un concierto en el parque, y después a otro. Una noche lluviosa vieron una película, tomaron un taxi hasta la casa de Ellen y durante todo el camino hablaron muy seriamente sobre la película. Él parecía haber perdido su humor y su picardía.

El padre de Ellen estaba alegre cuando ella llegó a la casa. Parecía que en esos días todo el mundo estaba alegre en presencia de su madre.

—¿Qué tal la película?

—Interesante. Muy bien hecha, me pareció.

—¿Y a tu amiga le gustó? ¿Cómo era que se llamaba?

—Fran. Era de mi clase.

—Llamó Kevin —dijo su madre—. Creo que se enojó un poco cuando le dije que te habías ido al cine. Dice que te había dicho que esperaras su llamado.

—¡Ay, lo lamento! Debo de haber entendido mal. —Pero no había entendido mal; lo había olvidado.

Después de que su padre salió de la habitación, su madre le hizo una pregunta extraña:

—¿Eres feliz, Ellen?

—Estoy bien, mamá. O casi bien. Estaré perfecta cuando te vuelva a ver bien.

Su madre esbozó una sonrisa débil y calló.

Ellen fue a su habitación y se preparó para acostarse. Cuando se quitó el anillo, lo apoyó sobre la mesa de noche y se quedó mirándolo. El corazón parecía temblarle en el pecho.

Cierto día su madre le dijo:

—Nuestro dentista te vio en el concierto con un muchacho.

—¿Ah, sí? Sí, estuve ahí con una de las empleadas del negocio y con su novio. Los tres.

Para octubre ya casi hacía demasiado frío para encontrarse en el parque. Cuando Mark llegó al centro cierto domingo por la tarde, vino preparado con un grueso suéter y zapatos para una caminata por el bosque. Ellen estaba vestida de manera similar. Era la primera vez que se veían con ropa que no fuera de trabajo.

—¡Estás tan diferente! —dijo ella.

—Tú también. Más real. No, no quise decir eso. ¿Más natural, quizá? Excepto por el anillo.

Ella flexionó la mano, miró el anillo y dijo con lentitud:

—Es muy hermoso… pero preferiría no tenerlo.

—¿Entonces por qué lo tienes?

—A veces pasan cosas y no sabes por qué.

Él miraba los árboles por encima del hombro de ella cuando le dijo:

—A tus padres él les agrada.

—Sí, mucho.

—No es justo que estés aquí. —Y como ella no respondió, él agregó enojado: —Si yo estuviera comprometido para casarme con una chica, no me gustaría saber que ella se encuentra con otro hombre este domingo por la tarde en el Central Park.

Ella sólo lo miró.

—Ven aquí —dijo él, tomándola del brazo.

Detrás de un arbusto que bien podría haber estado a kilómetros de distancia y no a pocos metros de la Quinta Avenida, se dieron su primer beso, un beso que no quería terminar.

—¡Dios mío! —exclamó Ellen—. ¡Dios mío! —Y se puso a llorar.

Tenían que ir a alguna parte, así que la semana siguiente Mark tomó un cuarto de un hotel lujoso donde, como cualquier pareja de turistas, ingresaron con su equipaje.

—Es demasiado costoso —protestó ella—. No puedes pagarlo.

—No, merecemos un lugar hermoso. Por ti —dijo él— por ti, moriría por ti. ¿Lo sabías?

Permanecieron acostados, despiertos, abrazados. No quisieron dormir; no querían que la noche se terminara.

—Dios, cómo te amo —le dijo él.

Había lágrimas en los ojos de Mark. Kevin nunca se había conmovido tanto, ni tampoco Ellen. Ese amor y la forma de hacer el amor eran completamente nuevos. "Son personas diferentes", pensó Ellen, y no tenía idea de lo diferentes que podían ser. ¿Cómo podía saberlo? "Este hombre es exactamente igual que yo. Somos la misma persona."

Todas las semanas cambiaban de hotel, y Ellen justificaba las noches fuera de su casa.

—Así no sirve —dijo Mark—. Debería ir a tu casa y decir la verdad.

—No puedes. Todavía estoy comprometida. De todos modos, mi madre está demasiado enferma para soportar la reacción que va a tener papá. ¿Y tu familia? ¿Tu padre se rasgará las vestiduras cuando se entere? Me han dicho que lo hacen.

—No —respondió Mark con severidad—. Pero tendrá ganas de hacerlo.

—No pudimos evitarlo, ¿no es cierto? Cuando estás creciendo, siempre le preguntas a la gente cómo sabes cuándo es el amor verdadero. Y nadie puede darte una respuesta satisfactoria. "Ah, ya lo sabrás", es lo único que te dicen. Pero es verdad. Lo sabes.

El 1º de noviembre los negocios pusieron en exhibición calabazas de verdad, o de chocolate, o de papel. Y Mark comentó, mientras paseaban, que el Día de Acción de Gracias estaba muy cerca.

—Sí, y no puedo dormir del miedo.

Esa noche su madre volvió a preguntarle:

—¿Eres feliz, Ellen?

—Ya me lo preguntaste antes —respondió Ellen con suavidad.

—Si no lo fueras, no me lo dirías.

"Es verdad, no lo haría", pensó Ellen. "Éstas son tus últimas semanas, ya advirtieron los médicos, quizá tus últimos días. Me pregunto si lo sabrás. Si lo sabes, tampoco nos lo dices. Todos queremos protegernos los unos a los otros."

Cuando Susan falleció, Kevin vino en avión para el funeral. Después, durante algunos días, la casa se llenó de visitas y llamados telefónicos. Hacia el final de esa difícil semana Kevin decidió que Ellen necesitaba un poco de descanso y que debía ir con él a su departamento para tener algunas horas de paz.

Ellen pensó, cuando él dio vuelta la llave en la cerradura, que ésa iba a ser la peor hora de su vida. Con frecuencia, cuando ensayaba esa escena en todas sus posibles variantes, no tenía una idea clara de lo que iba a decirle para que no le doliera demasiado.

Cuando él la abrazó, ella no se resistió, pero permaneció rígida con los brazos a los costados. Su intención era ser muy, muy amable, y sin embargo, de repente se le hacía imposible responder a la presión de su cuerpo.

Kevin dio un paso atrás y con rostro confundido y ansioso preguntó:

—No entiendo. ¿No estás feliz de verme?

—Sí, pero... pero han pasado tantas cosas —tartamudeó—. Me es tan difícil hablar, yo...

—Lo sé. Tu madre —dijo con suavidad.

Ellen sintió un nudo en la garganta que la ahogaba. Su mirada se clavó en la ventana, hacia la oscura noche y las luces dispersas.

—No es sólo eso. Yo... ay, Kevin, no sé cómo decírtelo. Me siento como una ladrona, una traidora, una mentirosa... Nunca imaginé que esto podía suceder. Pero ocurrió. Sólo ocurrió. Nunca quise...

Él la estaba mirando. Ellen lo vio extender la mano y apoyarse en una silla. Y durante algunos momentos los dos permanecieron mirándose el uno al otro, sin poder creerlo.

—¿Quién es él, Ellen?

—No importa, ¿no es verdad? —suplicó ella.

—No voy a matarlo. Sólo dime.

—Lo conocí un día este verano. Es un hombre bueno y honesto como tú. Ninguno de los dos quiso engañar ni herir. No pudimos evitarlo. Ésa es la verdad, toda la verdad, lo juro.

—Y por supuesto has estado acostándote con él mientras yo estaba lejos, extrañándote.

Ellen vio que la mano de él se aferraba a la silla. Tenía los nudillos blancos.

—Podría insultarte. Podría decir muchas cosas, pero no lo haré. No vales la pena el esfuerzo.

Ahora, tantos años después, esa escena permanecía vívida; sus colores, sonidos y silencios todavía estaban frescos, esa escena y las que la siguieron.

Kevin regresó a Francia con el anillo en el bolsillo. A través de amigos en común Ellen supo que Kevin había tomado muy mal la separación, pero no tanto como su padre.

—¿Dónde está la verdad y el honor, Ellen? Mi hija escondiéndose, mintiendo, engañando a un buen hombre. ¡Es un escándalo increíble!

—Si sólo conocieras a Mark. No es justo que lo condenes sin conocerlo —dijo Ellen, sin rogar, pero le costó mantener la cabeza en alto.

—Sé lo suficiente sin verlo. Él no es para ti. Eso es todo. Por tu propio bien te he pedido que reflexiones, y no quieres. Eres tonta y caprichosa, y no tengo más nada que decirte.

El mismo drama se produjo en casa de Mark. Así que Ellen empacó sus pertenencias, dejó una nota cariñosa para su padre y se casó con Mark.

Pero finalmente tuvieron que conocerse. Fue la abuela quien, más de seis meses después, produjo el encuentro disfrazándolo de fiesta de casamiento. La presencia de unos pocos parientes ancianos y algunos vecinos de la abuela evitó que se produjeran conflictos. El jardín era tan extenso que algunas personas —los dos padres— no tuvieron necesidad de tener contacto entre sí.

—Contacto a distancia —dijo Mark.

Pese al día de verano, a las rosas y al ponche, la fiesta en el jardín fue horrible. Sólo los ancianos, extasiadas por el romance digno de Romeo y Julieta, mantuvieron la conversación a lo largo de todo el día e impidieron que la fiesta fuera un fracaso total.

Brenda fue la primera en ablandarse, y por eso Ellen iba a estarle eternamente agradecida. Pero fue el nacimiento de Lucy lo que por fin ablandó a los dos padres lo suficiente para aceptar el matrimonio, siempre y cuando no tuvieran que verse entre sí.

"Pero ahora el odio sólo puede considerarse patológico", pensó Ellen mientras guardaba la tabla de planchar y se preparaba para la cena. "Y bien, que así sea", estaba pensando cuando llegó Mark.

—Estoy hambriento —dijo después de apoyar en el piso su maletín, y besar primero a Ellen y después a los niños—. ¿Qué es esto?

—Una invitación de la abuela. Quiere que vayamos la semana que viene y nos quedemos a dormir.

Mark leyó en voz alta:

—"No le menciones esto a tu padre, Ellen. También voy a invitar a los padres de Mark. La próxima vez será el turno de tu padre."

—¿Mis padres van a ir? —preguntó.

—Sí, vamos a viajar juntos.

—De veras deberíamos ver más a menudo a tu abuela. Es tan dulce. Siempre pienso que debe de haber sido como tú cuando era joven.

—Cuando Freddie sea un poquito más grande, será más fácil y lo haremos.

—¿Recuerdas la fiesta de casamiento? ¡Qué sufrimiento! ¡Volví a casa empapado de sudor debido a esos dos hombres! ¡Ya pasaron nueve años! Te digo que no podría volver a pasar por lo mismo. —Y se echó a reír al recordar.

[illegible] y cuando no [illegible] que [illegible]
[illegible]

Pero aquí todo solo puede considerarse [illegible] [illegible] [illegible] [illegible] que [illegible]

—[illegible]
[illegible] y [illegible]
[illegible] ¿Qué es esto?
—[illegible] la [illegible]
[illegible]

Marcela [illegible]
—[illegible] padre [illegible]
[illegible] padres de [illegible]
[illegible] de [illegible]
—[illegible] preguntó.
[illegible]
—[illegible]
[illegible] que [illegible]
[illegible] cuando era joven.
[illegible]
[illegible]
[illegible]
[illegible]
[illegible]
[illegible]
[illegible]

Capítulo 7

Annette mantenía un hábito desde su niñez. Tenía la costumbre todas las noches, antes de dormirse, sin importar lo que hubiera ocurrido durante el día, de pensar en algo alegre para el día siguiente. Con frecuencia era algo simple, como una visita a la librería local o una tarde con una vieja amiga. Podía ser algo trivial, como desayunar panqueques y salchichas una mañana de invierno. "Pero esos pequeños placeres ayudan a suavizar las grandes penas, más allá de lo que otros digan", pensaba Annette. "No es que sea una gran autoridad en penas. Tuve algunas pocas: la muerte de mi esposo y las muertes de los mellizos de la pobre Cynthia."

Esta pena actual no podía compararse de ningún modo con aquéllas. Sin embargo, el distanciamiento de sus hijos se había prolongado demasiado tiempo, y le dolía. Consideró todas las expresiones del lenguaje, tales como *hermanos de sangre* y *amor fraternal*; esos dos hombres eran demasiado grandes e inteligentes para deshacer lazos tan preciosos.

Además, había otras cosas que ofendían su sentido de justicia: una de ellas era el inminente y —en su opinión— absolutamente innecesario divorcio de Cynthia y su joven marido. La enemistad con los parientes políticos de Ellen era otra. ¿Qué diablos sucedía con estas personas, que deberían comportarse de otro modo? ¿Por qué no podían actuar como adultos? Quería decirles que actuaran de acuerdo con su edad.

Pero no era tan fácil. En un breve momento de inspiración creyó que sí lo era y había redactado esas invitaciones tramposas. Y a la mañana siguiente, sus pollos volverían al gallinero a pasar la noche. Y Annette estaba aterrorizada.

Ahora Annette estaba en la biblioteca y hablaba con el retrato de Lewis. Los penetrantes ojos marrones de su esposo le prestaban atención; en su mano izquierda, descansando sobre un libro abierto, brillaba la alianza. Por un instante Annette tuvo la sensación, antigua y familiar, de que él la estaba embromando. "*¡Ay, Annette, qué entrometida eres!*", parecía decirle.

—No soy entrometida —respondió en voz alta—. Si todavía vivieras, les darías a tus hijos una buena reprimenda.

Eran dos niños que jugaban juntos en la bañera. Casi se echó a reír al recordar ese día en que, aún pequeños pero con la suficiente edad para bañarse solos, dejaron rebalsar la bañera.

Los gritos, al principio de júbilo y después de rabia, hicieron venir corriendo a los padres. Se iba formando un pequeño lago en el piso mientras los niños luchaban en la bañera.

—¡Me metió jabón en los ojos!

—¡Él me pegó!

Para cuando los dos hermanos, en medio de resbalones y protestas, ya estaban tranquilos, el piso limpio y el orden, restablecido, tanto Lewis como ella estaban tan mojados como los niños. ¿Y en qué había terminado todo? Se habían ido todos a comer helados, contentos como nunca.

¡Si los problemas de hoy pudieran ser borrados con la misma facilidad!

Cynthia. Tantos divorcios trágicos, en lugar de poner un poco de esfuerzo en el matrimonio.

—No fue todo champagne y rosas para nosotros, ¿no es verdad, Lewis? También esos chicos, Ellen y Mark. ¿Se suponía que debían enamorarse de otra persona para contentar a sus padres? A nosotros no nos ocurrió. Tú no tenías ni un centavo cuando nos casamos. Sé que mis padres no estaban encantados, pero nunca dijeron nada.

Cuando la voz de Annette cesó, la habitación quedó demasiado silenciosa. Los perros dormían plácidamente en sus canastos, sin retorcerse en medio de sueños de cacerías. "El sueño de los viejos", pensó. "Son viejos como yo. Espero que no vivan más que yo, pues, ¿quién va a cuidarlos? Ojalá supiera cuánto tiempo me queda, para poder hacer planes. Aunque hay gente que vive más de noventa años hoy en día. Pero no se puede confiar en eso. Parece que no se puede confiar en nada, aunque supongo que es la edad la que me hace pensar así. La edad la que me hace querer darles lecciones a los jóvenes. Sin embargo, tengo miedo. ¿Qué lío vamos a armar aquí mañana?"

Fue entonces, sentada frente al teléfono, cuando supo que debía pedir ayuda. No hacerlo era más que temerario.

Marian Lester vivía a mitad de camino entre la casa de los Byrne y la escuela secundaria, donde daba clases. Como tenía casi cincuenta años pero parecía tener diez menos, no era una persona que se esperara que fuera amiga de Annette Byrne. Pero Annette había participado activamente en los asuntos de la comunidad. Hasta había formado parte del consejo de educación, donde trabajó durante años después de que sus hijos y sus nietos estuvieron crecidos. Así que se conocían muy bien. Y entonces, de repente, comenzó la amistad.

Cierto sábado por la mañana Annette se sorprendió al ver a Marian con el grupo de niños de jardín de infantes, que iban de caminata por el bosque de los Byrne.

—No me digas que te has cansado de enseñar a adolescentes —dijo Annette.

—De ningún modo. Pero integro el consejo de nuestro comité local de vida silvestre, y nos quedamos cortos de ayudantes para la salida de esta mañana. Así que aquí estoy. Es divertido para variar.

Annette pensó que Marian parecía nostálgica. Hacía varios años que era viuda y vivía sola, pues sus hijos ya eran adultos y estaban lejos. El pequeño pueblo no rebosaba de hombres solteros deseables, y de todos modos las maestras de escuela no tenían mucho tiempo para salir de conquista. ¡Una mujer tan bonita! Era un desperdicio...

Siguiendo un impulso Annette la invitó a cenar.

—Es decir, si no tienes nada mejor que hacer alguna noche de esta semana —agregó, con tacto—. Sé que una anciana no es la compañía más agradable.

Marian sonrió.

—Eso depende de qué anciana se trate. Y no tienes que aclarar en mitad de la semana. Tampoco estoy ocupada los fines de semana.

—Entonces, ¿qué te parece esta noche?

—Me encantaría, gracias.

Pasaron una velada muy agradable, la primera de muchas. Ambas eran ratones de biblioteca, amaban la música y la naturaleza. Las dos eran apasionadas por las causas. Y como todas las mujeres que son madres, tenían sus propias historias para contar.

Annette tenía la ventaja de que su situación económica le había permitido viajar por el mundo. Sin embargo, rara vez hablaba sobre las cosas que había visto.

—Siempre digo que las personas más aburridas son aquellas que se lo pasan hablando de sus viajes, de lo barato que pagaron el hotel y de lo mal que les cayó la comida.

—Tú nunca me aburres. *Quiero* oír sobre el Ganges. ¿Es verdad que se ven cuerpos flotando? ¿Que servían leche fermentada de yegua en Mongolia? No, nunca me aburres.

Marian era dueña de una serenidad poco común. Por lo menos así parecía desde el exterior. Lo que había en su interior, por supuesto, nadie podía saberlo. La expresión pensativa y atenta y la voz calma, incluso la suave curva de la cabellera oscura, que le caía desde el centro de la cabeza hasta las orejas, eran placenteras para oír y mirar. A Annette le parecía que Marian nunca debía de haber sido tan dinámica como Cynthia y Ellen. "Característica que es muy probable que hayan heredado de mí", pensó con una sonrisa.

Así que la admiración era mutua, e intercambiaban favores, como todas las amigas. Marian le había tejido un hermoso suéter a Annette, mientras que Annette le había regalado libros y una tarde de cine en la ciudad. Y se confiaban cosas, como todas las amigas.

Por lo tanto Marian conocía todas las peleas de la familia de Annette. Y ahora Annette estaba en el teléfono.

—Sabes, necesito tu ayuda. Quiero que las cosas se arreglen. Es ridículo que esta gente desperdicie la vida así. —Después, dudando, le preguntó: —Dime la verdad, Marian. ¿Estoy equivocada? ¿Estoy metiendo la nariz en los asuntos ajenos?

—Pues, por supuesto que sí, pero eso no significa que no debas hacerlo. Algunas de las mejores cosas del mundo ocurren porque la gente mete la nariz.

—¿Entonces vendrás? Puedes leer cómodamente en la pequeña oficina, donde me ocupo de las cuentas y leo la correspondencia. Entonces, si oyes una discusión fuerte, y seguramente así será, sal para aplacar los ánimos.

—Estaré ahí temprano. Suena interesante.

Al advertir una sonrisa en la voz de Marian, Annette sintió que su miedo disminuía. Por lo menos iba a tener una aliada.

—Ve a dormir, Annette, y piensa algo bonito para mañana, como siempre haces.

Puntualmente a las diez, las ruedas del auto de Gene crujieron en el sendero de grava. Desde niño, cuando aprendió la hora, siempre era puntual o llegaba cinco minutos antes. Desde niño su fiabilidad llamaba la atención en su familia. "Quizás esta vez sea diferente y pueda modificar ese sentido intransigente de lo bueno y lo correcto", pensó Annette.

El café y las rosquillas de canela, las favoritas de Gene, estaban dispuestos sobre una bandeja en el jardín de invierno, donde a Gene le gustaba sentarse en una silla de mimbre entre las plantas florecientes.

—Has hecho pintar las sillas —observó Gene apenas entró.

—Me pareció que el blanco era bonito para variar. ¿Te gusta?

—Muy bonito. Veo que no has perdido la mano con las violetas africanas. Parece que fuera verano aquí.

—La luz es buena. Es lo único que necesitan, ninguna habilidad especial.

—No podría decirse que afuera hace tanto frío.

—Cuando saqué a los perros sentí el frío.

—El viejo Roscoe sigue vivito y coleando, ¿no es así?

—Sí, está muy bien para su edad. Míralo, le encanta estar al sol.

Gene miró al perro, cómodamente acurrucado junto a la silla de Annette. Miró a su madre, quien también se mantenía muy bien pese a su edad; era delgada y estaba bellamente acicalada, desde los zapatos lustrados y el chaleco de lana azul pálido hasta la cabellera blanca y ondeada. Después miró la bandeja, con las dos tazas y los dos platos. Así que ella no esperaba a nadie más, razonó Gene, y sintió alivio al descartar la idea de los médicos o los abogados que venían a discutir noticias alarmantes.

—He estado revolviendo en el ático —dijo—. Es sorprendente cómo se acumulan las cosas casi antes de que uno se dé cuenta. Y encontré algunas sorpresas. Sabes, creía que habíamos regalado tus trenes hace años, pero ahí estaban, en perfectas condiciones, cada pieza envuelta en papel tisú. Tu padre debe de haberlo hecho. Son montones de piezas, ¿recuerdas? Puentes, túneles, un río, aldeas y árboles. Dentro de algunos años será un verdadero tesoro para Freddie.

—Sin duda —coincidió Gene, aunque no podía imaginar en qué lugar iban a poner semejante juego en ese departamento donde vivían.

Gene también se preguntó cuál era el objetivo de esa conversación y por qué había sido invitado justamente hoy. ¿Invitado? ¿No era *convocado* una palabra más apropiada? Pues la carta, ahora que pensaba en ella, era bastante extraña. Otra vez, ¿por qué justamente hoy? *Y ven preparado, de ser posible, para pasar la noche.* Habría sido más natural que su madre le dijera: *Me encantaría que me visitaras pronto. ¿Qué te parece la semana próxima o la otra?*

Por otra parte, probablemente no era más que un deseo normal, muy normal a la edad de su madre, de estar con su hijo cuanto antes.

—¿Y cómo está Lucy? No la veo desde el fin de semana del Día del Trabajador, y la extraño.

—Es una delicia absoluta. La semana pasada la llevé a ver *El cascanueces.* El lugar estaba repleto de niños, pero aun así, vi que la gente la miraba y hacía comentarios. Tenía puesto ese vestido negro de terciopelo que Ellen me dijo que tú le regalaste, y con ese pelo rubio que tiene y la manera en que habla...

Annette se echó a reír.

—Habla el abuelo orgulloso.

—Lo confieso. Pero de verdad llama la atención. Es la viva imagen de Ellen, ¿no crees? Y Ellen se parece mucho a ti.

—No me merezco ese honor. Ellen es igual a su madre.

Susan. A veces pasaban días en que Gene aceptaba con resignación la pérdida de su esposa, y otros en que la sola mención de su nombre o un rostro o un fragmento de canción eran suficientes para sentir un dolor punzante en el pecho.

—La extraño terriblemente —no pudo evitar decir.

—Lo sé. Son momentos, ¿no es verdad? Como una puñalada en el corazón.

Ninguno de los dos habló. Ella miraba el espacio por encima de la cabeza de su hijo. "Está recordando a mi padre", pensó Gene, y sintió la tristeza de Annette.

—Sí, sí —dijo ella—, cuando uno se pone a recordar... Es como cuando miras en un telescopio, ves que las cosas se alejan, el césped, la pradera, la colina, la montaña, y más allá, todo es cada vez más pequeño cuanto más lejos ves. Y en la vida... las cosas que ocurrieron hace mucho tiempo también se hacen cada vez más pequeñas.

Gene se puso alerta. Annette no solía ponerse filosófica. Pero como era evidente que no había terminado de hablar, escuchó atentamente.

—Hay otra cosa con respecto al tiempo, otro aspecto. Es muy triste, de verdad muy triste, pero por lo general las cosas buenas, en los recuerdos, parecen desvanecerse y reducirse a una mancha tenue y rosada. Son las cosas malas las que se destacan como manchas oscuras. ¿Lo has notado? Cierta vez tuve una fea discusión con mi hermana, y aunque nos amigamos, cuando ella murió, recordé esa discusión. Y agradecí tanto que hubiéramos podido amigarnos.

Así que eso era, otra vez el viejo asunto. Gene se extendió para servirse una segunda taza de café y estaba pensando en un modo inofensivo de impedir que su madre continuara con ese doloroso tema, cuando Roscoe se levantó de un salto y ladró. En el vestíbulo principal sonó el ladrido histérico de los spaniels. Y después se oyeron voces.

—Jenny, ¿cómo estás?

¡Dios mío, era Lewis!

—Jenny, estás espléndida. Nunca envejeces.

Ésa era Daisy, su querida cuñada, con su fingido acento.

—Colgaré sus abrigos. Entren. Su madre está en el jardín de invierno.

La que hablaba era Jenny, que sin duda estaba metida en todo esto y ardía de curiosidad.

Los recién llegados eran tres, incluyendo a Cynthia, y miraban desde el umbral de la puerta. Gene no terminó de levantarse de su silla y se dejó caer. Hubo un silencio total y conmocionado; hasta Annette, quien se había levantado de la silla, pareció, por un instante, incapaz de moverse.

"Has ido demasiado lejos", pensó Gene instantáneamente. "Ahora que lo hiciste, no sabes cómo manejarlo. Pobre mamá." Y sintió lástima por ella.

Por supuesto que ahora era evidente por qué había insistido tanto en la hora. Ella quería asegurarse de que los autos no se cruzaran en la angosta ruta de campo y tuvieran motivo para volverse.

Annette se recuperó de manera admirable. Como si se tratara de la llegada de cualquier persona, saludó, besó, ofreció sillas y sugirió café fresco. Sin embargo, nadie se movió.

Lewis fue el primero en hablar.

—¿Qué es esto, madre? ¿Una broma? Si es así, es una muy mala.

—En absoluto. Lisa y llanamente, quería ver a

mis hijos juntos. —El corazón le temblaba, pero no la voz.

—Con todo respeto —interpuso Daisy—, fue una muy mala idea. Lewis y yo tuvimos un viaje muy largo desde Washington. Hemos estado preocupados. Francamente, creímos que estaba enferma.

—¿Hay que estar enferma para merecer una visita de ustedes

—Por supuesto que no. Pero ha cometido un error terrible.

—Por favor, que los hombres hablen por sí solos.

Ahí estaban los hermanos. No se miraban, no hablaban, sólo esperaban el momento para escaparse. Eran hombres apuestos, muy parecidos en su dignidad. Tenían el pelo oscuro levemente plateado en las sienes, como si estuvieran interpretando el papel de ciudadanos distinguidos en un anuncio para un Banco. Las cejas tupidas, derechas y gruesas, y los labios expresivos y sensibles eran muy parecidos a los de su padre. "Hombres apuestos, pero no tanto como su padre", pensó Annette con lealtad. "Si él estuviera aquí, tendría varias cosas para decirles. Si creen que voy a permitirles salir de esta habitación, están equivocados."

—Un error garrafal —repitió Daisy—. Lamento decirlo, mamá, pero me duele.

Annette estaba enojada. Y Daisy la irritaba más con su fría cortesía. Mucho tiempo atrás ella había pasado un año pupila en una escuela inglesa, y siempre se daba aires, con sus polleras escocesas con alfiler de gancho y su acento afectado. Uno trataba de quererla y casi siempre lo lograba, pero había veces en que resultaba irritante, y ésta era una de esas veces.

—Yo lamento que te sientas así, Daisy. Pero soy su madre y quiero que haya paz entre ellos.

—Es demasiado tarde —afirmó Lewis.

—Nunca es tarde mientras estén vivos.

—Esto va más allá de lo razonable, madre.

—Eso es ridículo. —Annette estaba sorprendida de poder hablar con tanta franqueza y permanecer erguida mientras que el corazón le saltaba en el pecho.

—¿Ridículo? —repitió Gene—. No sé cómo puedes decir eso. —La última vez que había visto a Lewis fue al dejar los tribunales con sus abogados. En ese entonces no se hablaban y tampoco se iban a hablar ahora. "No, después de lo que tuve que pasar", pensó Gene. —Cuando dos personas testifican una contra la otra en un juicio, no hay de qué reírse.

—Tienes razón, Gene. Retiro la palabra. La correcta es *trágico*.

—¡Ay, por favor! —exclamó Cynthia con tono lastimero, sin dirigirse a nadie en particular.

Gene quiso cruzar la mirada de su sobrina para demostrarle, aunque ella debía de saberlo, que esta pelea con su padre no tenía nada que ver con ella. Pero Cynthia miraba hacia abajo; tenía el rostro ensombrecido y estaba terriblemente delgada. Su moderno traje —tan diferente de la ropa conservadora de Ellen— sólo parecía enfatizar el cambio sufrido. Gene la había visto pocas veces desde su inenarrable tragedia, y sólo en aquellas ocasiones en que por casualidad visitaban a Ellen al mismo tiempo. Él suponía que Cynthia visitaba poco a Ellen debido a su dolor. Freddie tenía casi la misma edad que esos mellizos cuando...

—Vamos, Cynthia —ordenó Daisy—. No tienes que soportar esto encima de todo.

Cuando se fueron, Annette se quedó franqueando la puerta.

—Ahora les pido a ustedes dos que me escuchen. Me lo deben. Por favor, siéntense.

—Por amor a ti voy a sentarme —dijo Lewis—. No quiero entristecerte más de lo que ya estás, pero... por favor, madre, todo esto es muy doloroso, muy injusto. ¡No puedes haber olvidado todo lo que tuve que atravesar! Entre los abogados y los periodistas, lo he pasado peor de lo que merecía. Me pusieron en ridículo. ¿Tengo que volver a pasar por eso esta mañana?

—Te equivocas —respondió con suavidad Annette—. Lo que les estoy pidiendo a los dos es que dejen todo eso de lado. Fue como... una enfermedad. Sí, una época de enfermedad y de sufrimiento. Si hubieran estado enfermos en el hospital, ¿querrían seguir recordando esas semanas durante el resto de sus vidas? ¿No intentarían más bien olvidarlas?

—Es exactamente lo que he estado haciendo. Por eso es que Daisy y yo nos mudamos a Washington, donde estoy trabajando en un proyecto muy digno, eso espero, para el bien común. Así que ya estoy olvidando todo.

—No puedes haberlo olvidado todo mientras sigues separado de tu hermano.

—¡Sí que puedo! Ése ha sido mi remedio. ¿Me estás pidiendo que perdone y olvide todo lo que él me hizo? —Abogados astutos y sarcásticos lo habían puesto en ridículo, haciéndolo ver como culpable, como un incompetente y negligente que no se molestó en investigar una queja seria, indiferente a la posibilidad de las terribles consecuencias que de hecho se habían producido y que atormentarían sus sueños para siempre. ¿Indiferente? No. Pero Gene no lo había ayudado. —¿Se supone que debo olvidar la culpa que echó sobre mis espaldas? La culpa me abruma. No merecía ser destrozado por los abogados y los periodistas.

—Los periodistas también vinieron a verme, después de que tú los enviaste.

—¡Yo los envié! Eso es una idiotez —replicó Lewis, levantando el tono de voz, que sonó ronca.

Desde su silla, tan lejos de la de Lewis como era posible, Gene retrucó:

—Es muy sencillo. No te gustó cuando conté la verdad: que te rehusaste a investigar a Sprague después de la denuncia de Victor. Muy sencillo.

—¡Pudiste haber medido tus comentarios en lugar de hacerme quedar como un criminal deliberado!

"¿Qué pude haber medido?", pensó Gene. "Victor había señalado los hechos claramente, y yo estaba bajo juramento. Yo debí haber investigado a Sprague por mi cuenta desde el principio. Pero siempre acepté las decisiones de Lewis, pues él era el mayor y había ingresado en el negocio tres años antes que yo."

La ira volvió a invadir a Gene.

—Esperabas que mintiera por ti, ¿no es cierto? —gritó Gene—. Oh, sólo era un pequeño problema de honestidad...

—Y de honor —terminó Lewis por él. Honor, por parte del hombre que había sometido a su hija a un infierno cuando abandonó al hombre que su padre quería para ella y eligió a otro.

¡Todo era tan desagradable! Y tan terrible que la crisis llegara a la casa de su madre. Bien podrían clavarle un cuchillo en el corazón.

—Todos esos pobres inocentes que murieron —dijo Gene—. Y sólo piensas en ti, en cómo tú sufriste...

—Me das asco. Eres como esos oradores que se llenan la boca de palabras mientras que en tu casa, con tu propia hija, tú...

Gene se incorporó.

—¡Maldito seas! ¿Qué tiene que ver Ellen en todo esto? No sabes de qué estás hablando. Déjala fuera de esto, ¿entiendes?

Al agitar el brazo en su exaltación, Gene derribó el bol de fruta de la mesa. Se hizo añicos, mientras las manzanas y las mandarinas rodaban por el piso.

—¡Oh, lo lamento! ¡Lo lamento! —exclamó Gene, mientras se inclinaba para recoger los trozos—. Te compraré otro. Cuidado con el vidrio roto, te lastimarás.

No era de vidrio, sino de cristal. Lalique, exactamente, y el favorito de Annette, con sus delicados pájaros posados alrededor del borde. Lo habían comprado en su vigésimo quinto aniversario, en su viaje en el vapor *France*, y era un recuerdo de esos días maravillosos.

—No importa —dijo ella—. Lo limpiaremos después. No es nada. No, de verdad —repitió, pues su hijo, el meticuloso y considerado Gene, estaba rojo de vergüenza.

—Necesito salir de aquí. Déjame ir a buscar unos diarios y limpiar el piso antes de que alguien se corte. —Y después agregó: —Lo siento, madre, pero déjame ir a casa. Te veré en otra oportunidad. La semana que viene, sin duda.

Si no los retenía ahora, nunca iba a poder hacerlo. De eso estaba segura.

—No —dijo con voz áspera—. No. Son dos adultos y no puedo creer que quieran comportarse como niños. Si su padre estuviera aquí... —Ella se detuvo, pues sintió el ardor atrás de la nariz que siempre precedía las lágrimas.

—Me alegro por su bien de que no esté —dijo Lewis con tristeza.

—¡Pero yo sí estoy aquí! Así que por mi bien, ¿no pueden...? —empezó a decir la anciana.

—Madre, trata de entender. Hemos sobrevivido a una catástrofe. Nos destrozó. Es como si intentaras volver a unir los trozos de ese bol. Madre, es imposible, y cuanto antes lo aceptes, más fácil será para ti.

Annette volvió a verlos —¡las imágenes volvían con tanta frecuencia!— juntos en la bañera, vestidos con trajes de marinero los domingos y usando birretes al iniciar la universidad. También los veía en esa terrible noche en que el hotel se derrumbó.

¿Por qué le importaba tanto que estos hombres, ya maduros, estuvieran enfrentados? Annette no tenía ninguna buena explicación. Simplemente le importaba. Quizás era que la vida era tan corta.

—El odio —dijo Lewis— consume mucha energía y ahora necesito toda mi energía para ayudar a mi hija. Ninguna otra cosa puede ser tan importante para mí excepto tú, madre. Ciertamente no mi hermano. Ahora, si me disculpas, por favor, iré a buscar a mi familia.

—¡Enhorabuena! —exclamó Gene cuando la puerta se cerró. Había apoyado la fruta sobre la bandeja y estaba recogiendo las astillas con un pañuelo de papel. —Es en lo único en que puedo estar de acuerdo con él.

—¡Hermoso! Un sentimiento hermoso y valioso. Que Dios me ampare, pero nunca soñé que viviría para oír eso.

—Madre. —Gene la tomó de los hombros y le habló con voz suave. —Sé lo que esto debe de significar para ti. Yo tampoco pensé que iba a vivir algo como esto. Pero no puede evitarse. Es demasiado profundo y ha durado demasiado tiempo. Pero todavía nos tienes a los dos cada vez que quieras, eso lo sabes. Pero no al mismo tiempo, eso es todo.

Annette escudriñó el rostro bueno e inteligente de Gene y sacudió la cabeza.

—Estoy avergonzada de ti —dijo con amargura—. Avergonzada, ¿has oído? Y los dos deberían estar avergonzados de sí mismos.

Entonces se liberó de las manos de su hijo y salió de la habitación.

Mientras tanto Daisy y Cynthia se encontraban en la biblioteca. Daisy estaba furiosa.

—No puedo entender a tu abuela. Ella fue siempre tan discreta... pero hacer algo así. Sólo Dios sabe si esos hombres se agarrarán a golpes ahí adentro; bueno, no quise decir eso o quizá sí lo quise decir. Es posible. Puede suceder cualquier cosa. En este mundo hay que estar preparado para cualquier locura.

—Sí —respondió Cynthia con cierto sarcasmo, como quien sabe de qué habla.

Cynthia estaba junto a la ventana y miraba el jardín oscuro y ventoso, la laguna helada y el cielo negro y amenazante.

—Parece que va a caer nieve o aguanieve, o algo así.

—Ah, qué bien. Me gustaría volver a la ciudad antes de que empiece. Odio conducir cuando hay hielo. Deja de retorcer el collar; lo romperás.

—Si quiere romperse, que se rompa.

Daisy se regañó a sí misma. "Me preocupo por un collar, cuando lo que está roto es su corazón. Una vez tenía todo, ahora no tiene nada. Es como ser bombardeado o quemado o golpeado hasta la muerte. Maldito sea Andrew por haberle dado el último golpe. Maldito sea por siempre. ¡Si sólo pudiéramos hacer algo por ella! Lewis y yo hablamos y hablamos. Pensamos y tratamos de imaginar algún milagro: entrar en una habitación y encontrarla otra vez como antes, con esa tranquilidad típica en ella, con esa sonrisa en los labios."

Había sido una mala idea llevarla allí ese día. Ese viejo pueblo tenía demasiados recuerdos: la iglesia, la boda y la fiesta en esa casa cuando regresaron de la luna de miel, cuando ella bajó la escalera con ese vestido color lavanda... Y finalmente, el cementerio.

—Esta habitación es hermosa —observó Daisy—. Cuando tu padre termine su trabajo en Washington y volvamos a casa, creo que voy a redecorar nuestro estudio en estos colores. A Annette no le molestará que me copie, estoy segura.

—Mamá, estoy bien —dijo Cynthia sin darse vuelta de la ventana—. No tienes que esforzarte tanto por levantarme el ánimo.

—No es un esfuerzo. Me surge naturalmente, querida. Y tú pareces necesitar que te levanten el ánimo.

—Sé que no soy buena compañía. No debí haber venido. Me siento mejor cuando trabajo. Por lo menos ayudo a la gente, y eso me ayuda.

—Eso es cierto. —Daisy vaciló antes de hacerle una pregunta, pero decidió hacerla; quería saber si había alguna novedad con respecto a Andrew.

—¿No te lo habría dicho si la hubiera?

—Creí que sus padres tratarían de ponerse en contacto contigo. Después de todo...

—Supongo que se dieron por vencidos. Tú y papá tampoco se pusieron en contacto con Andrew.

—No me gustaría estar presente cuando tu padre se encuentre con él.

—Por lo que puedo ver, nunca ocurrirá, así que no necesitas preocuparte.

A veces, cuando no podía dormirse y permanecía acostada contando los latidos de su corazón, Cynthia dejaba volar la imaginación e inventaba situaciones en que iba a tener que enfrentar a Andrew: en la calle; en un autobús, donde él tomaría asiento junto a ella y trataría de convencerla de que lo dejara volver; en el teatro, donde él se sentaría justo detrás de ella y, sintiendo los ojos de él clavados en su nuca, ella esperaría alguna actitud o palabras vengativas y humillantes de su parte. Y cuando imaginaba esa escena, los músculos se le endurecían de temor.

Quizás inevitablemente iba a tener que verlo en el juicio de divorcio. No tenía idea de si las partes tenían que encontrarse ahí. Si así era, ella iba a actuar como si él fuera invisible.

La laguna estaba azul oscuro. En el centro, más allá del hielo, dos cisnes y sus crías nadaban. Las crías ahora, en diciembre, habían crecido y eran tan grandes como sus padres. Era la época del año en que, como los pichones cuando son sacados del nido y se les enseña a volar, las crías del cisne eran echadas al mundo. Y Cynthia, que sabía sobre cisnes desde que su abuelo crió la primera pareja, se preguntó cuántas generaciones habrían pasado desde aquella primera pareja hasta esta familia actual. Observó cómo el cisne más grande, el padre, se elevaba en el aire, volaba bajo y regresaba a su familia, volvía a elevarse y repetía el vuelo. Les estaba enseñando a volar.

Los cisnes eran monógamos, leales.

Entonces, cuando giró la cabeza para seguir las enormes alas blancas, vio que un auto se acercaba por el sendero. ¿Y ahora quién? ¿Quién más venía? No podían ser Mark y Ellen.

—¡Oh, no! Mamá, no vas a creer esto. Ven a mirar, es Ellen con Mark y los chicos, y sí, también trajeron al padre y a la madre de él.

Daisy espió hacia fuera.

—De todos los líos insensatos, confusos e estúpidos, éste se lleva el primer premio. ¿Qué le habrá ocurrido a Annette? Si no supiera que no es cierto, diría que está senil.

—¿Te das cuenta de que esos dos padres se desprecian entre sí? No están en la misma habitación desde hace... ¡ocho o nueve años!

Hubo un leve bullicio en el vestíbulo y luego una corta procesión, con Jenny a la cabeza, apareció en la habitación y se detuvo durante un momento de estupefacto reconocimiento.

Jenny estaba colorada de agitación.

—Van a estar cómodos aquí. Hay sillas de sobra. ¿Puedo ofrecerles algo?

—Creo que tenemos todo. Gracias, Jenny —respondió Ellen.

De hecho, venían cargados: traían una bolsa llena de juguetes, otra de pañales y montones de suéteres. Mark tenía un biberón parcialmente consumido en una mano, mientras que con la otra sostenía a Freddie en su rodilla.

"Ahora Gene tiene dos enemigos", pensó Daisy. "Qué interesante."

—Qué sorpresa —dijo Mark alegremente—. No sabíamos de quién podía ser el auto.

—Lo alquilamos —explicó Daisy.

—¿Se recuerdan? —preguntó Ellen—. Mi tía, Daisy Byrne, y los padres de Mark, Aaron y Brenda Sachs. Doctor Sachs.

—¿Qué tal? —saludó Daisy, quien sólo recordaba una barba negra.

Lucy corrió hacia Brenda, quien la abrazó.

—Muñequita de la abuela. Alguien ama a la abuela y la abuela ama a alguien.

—¿Dónde está la abuelita? —preguntó Lucy.

La pregunta flotó un momento en el aire, hasta que Daisy respondió:

—Está en el jardín de invierno con Gene y Lewis.

Ellen contuvo el aliento.

—¿Qué ocurre? ¿Está todo bien?

—Lo dudo. Personalmente, cuando me fui de ahí agradecí que ninguno de los dos estuviera armado.

—Ay, ¿en qué estaría pensando la abuela?

—Me temo que sólo la abuela puede responder a esa pregunta.

—Es todo tan triste y tan innecesario —dijo Cynthia.

Ellen le sonrió. A pesar de la pelea entre sus padres se tenían cariño. Pero sus respectivos caminos las habían alejado. "Debe de ser una agonía para ella verme con mis hijos", pensó Ellen. "Comprendo por qué no me visita."

—Creo que Freddie está mojado —anunció Mark.

—¿Otra vez? Métele la mano en el pañal y asegúrate.

—No, fue un error. Pido disculpas, Freddie. Ahora bájate y juega con tus cubos.

"Es un hombre dulce", pensó Cynthia. Observó cómo los cubos formaban una pequeña pila sobre el piso. Hacía meses que no veía a Freddie, lo cual estaba mal de su parte. Le daba lástima y vergüenza pensar que, viviendo en la misma ciudad, se mantenía tan alejada. Bien podría haber asistido a la fiesta de su primer cumpleaños. No era lo mismo que enviar un buen regalo. Era un niño hermoso, todavía mofletudo, como cuando era bebé.

—¿Viven por aquí? —preguntó Brenda, quien, al cruzar la mirada con Daisy, sintió la obligación de decirle algo.

—No, ahora vivimos en Washington.

Brenda asintió.

—Creo recordar que Ellen me mencionó que se habían mudado de Nueva York, pero no recordaba adónde.

Conversaba por conversar. Era como en un funeral, cuando se espera que empiece la ceremonia religiosa; siempre se siente la obligación de hacerle algún comentario al extraño que está sentado junto a nosotros. "Qué pensamiento extraño", se dijo a sí misma Brenda, y miró a Aaron en busca de solidaridad.

Pero Aaron se había puesto de rodillas junto a Freddie y sus cubos. Aaron percibía señales en la habitación, que parecían recorrer el mundo como corrientes eléctricas y llenar el aire de mensajes de una persona a otra. Percibió las vibraciones en esa habitación. Brenda se sentía fuera de lugar; su hijo estaba incómodo; esa joven... ¿Cynthia, se llamaba? Sufría; y su madre reprimía un terrible enojo.

"Ah, deja de pensar", se regañó a sí mismo. "Nada de esto te concierne."

—¿El abuelo Gene está aquí? —Lucy le preguntó a Brenda.

Brenda consultó con la mirada a Mark, quien no la vio, pues, de manera similar, estaba consultando a Ellen.

—No lo sé —respondió Brenda.

Lucy se deslizó de la falda de su abuela y se dirigió a Daisy.

—Dijiste que él estaba aquí con la abuelita. ¿Por qué no viene a verme?

—No lo sé —contestó Daisy.

—Quiero verlo.

—Bueno, en este momento no puedes.

"Malcriada", pensó Daisy. "Cuando una niña es tan bonita, recibe demasiada atención." Y la verdad era que tenía cara de muñeca. No pudo dejar de preguntarse cómo hubiera sido Laura a su edad. "Uno se pregunta demasiadas cosas", se dijo a sí misma.

—Tienes que esperar —dijo Ellen.

—Pero quiero verlo —insistió Lucy.

—Ahora no, Lucy. —Y sin pensar lo que decía, Ellen le explicó a Daisy: —Es que ama tanto a mi padre.

—Eso parece —contestó Daisy. La niña era encantadora, pero no estaba de humor para ocuparse de ningún niño, por más encantador. Y qué comentario estúpido el de Ellen, a ella justamente.

Ellen estaba inquieta.

—¿Pensarán quedarse ahí todo el día? —preguntó a la habitación en general, pero nadie respondió.

Aaron construyó una torre de cubos que Freddie, con gran alegría, derribó. Siguió construyendo más hasta que Freddie perdió interés y empezó a buscar otro juguete en la bolsa. Aaron se levantó, se sacudió los pantalones y fue a mirar por la ventana, donde advirtió que el cielo estaba amenazante.

—Qué suerte que nos quedamos a pasar la noche —comentó Mark—. No me gustaría viajar con los niños si se pone tan feo como parece.

—¿Están invitados a pasar la noche? —Ellen preguntó a Cynthia.

—Nosotros... —empezó a responder Cynthia.

—Se supone que sí, pero no vamos a quedarnos —la interrumpió Daisy—. De hecho, estoy lista para irme ya mismo.

—¿No te gusta la casa de la abuelita? —inquirió Lucy, levantando sus grandes ojos azules hacia Daisy—. ¿No te gusta la abuelita?

A Daisy le gustaban los niños, pero en ese momento esa niña le resultaba intolerable. “Sus padres, considerando la situación, deberían hacerla callar. Deberían darse cuenta de que todos estamos nerviosos.”

Lucy seguía escudriñando a Daisy de pies a cabeza. Al parecer se sentía fascinada por ella.

—Tienes flores en la camisa —observó la niña.

—Así es.

—Son bonitas.

—Gracias.

—¿Por qué ese hombre odia al abuelo Gene?

Esta niña era demasiado inteligente. Daisy se preguntaba por qué tenía que pegársele a ella.

—No lo sé, no sé nada al respecto —respondió, y dedicó a Lucy esa sonrisa que a menudo, pero no siempre, hace callar a un niño persistente.

—Sí que sabes. Dijiste "el hombre que está en el jardín de invierno".

Los adultos se miraron entre sí. *¿Alguna vez oíste algo semejante? Hay que fijarse en todo lo que se dice frente a los niños.*

—Abuelo —preguntó Lucy, pues había perdido interés en Daisy—, tú no odias al abuelo Gene, ¿no es verdad?

De repente Aaron tuvo un ataque de tos. Y Mark se apresuró a responder:

—Ven, Lucy. Toma un juguete de la bolsa y juega.

—Son todos juguetes de bebé, papito. No me gusta ninguno.

—Eres muy terca —dijo su padre con impaciencia.

—Mark, cualquiera se da cuenta de que está aburrida —comentó Brenda—. Sólo tiene seis años. ¿Qué esperabas?

"No me sorprende", pensó Daisy. "Es asistente social, según me dijeron. Demasiado indulgente.

Llena de psicología freudiana. Sólo hay que decirle a la niña que se calle. Se me parte la cabeza."

Aaron recibió el mensaje con mucha claridad. "Ella no aprueba a Brenda. Republicana de club elegante. Capitana del equipo de hockey femenino de la escuela. Campeona de golf. Puede ser campeona de aladeltismo, por lo que a mí respecta. Dios mío, cómo me gustaría salir de aquí. No puedo respirar en esta atmósfera."

—¿Qué diablos está pasando ahí adentro? —inquirió Daisy.

—Tendrán que salir pronto —la tranquilizó Ellen—. Estoy segura de que todo va a andar bien.

"Eso crees porque todo te salió bien a ti", pensó Cynthia sin malicia.

—Ese Gene —empezó a protestar Daisy—. Nunca se sabe lo que ese hombre… —y se detuvo.

—Mamá, te olvidas de que es el padre de Ellen —le advirtió Cynthia.

—Lo lamento, Ellen —se disculpó Daisy de inmediato—. Lo había olvidado.

—¿Ves? No somos los únicos que creemos que es un desgraciado —murmuró Aaron a Brenda.

—Manténte al margen, Aaron —le respondió ella.

Cynthia se retorcía las manos. Una hostilidad insoportable la rodeaba. Hasta su abuelo, desde su retrato, de repente parecía enojado y frío, lo cual era absurdo, pues había sido un hombre amable que trabajaba en su hermoso jardín y le servía sus mejores frutillas, tibias por el sol, en el desayuno.

Tenía que salir de esa habitación.

—Voy a caminar un poco —anunció.

—¡No, Cindy, no! —exclamó Daisy—. Apenas salga tu padre nos vamos. No quiero tener que buscarte.

—Sólo iré hasta la laguna. Puedes verme desde esta ventana. Discúlpenme todos, por favor.

Sobre sus anchas patas negras dos cisnes se deslizaban por el hielo como si tuvieran patines. Sobre el césped, junto al borde de la laguna, había restos de pan cortado. La abuela les daba de comer todo el invierno, pues como el lago estaba congelado, no podían pescar para alimentarse. Cynthia los observó hasta que llegaron a un círculo de agua donde flotaban las pocas crías que todavía no se valían por sí mismas. La tranquilidad de estas criaturas y la paz del silencio ventoso aliviaron su tensión. Soplaba un viento fuerte, pero no había rumor de hojas. No había gritos de pájaros. Cynthia se quedó quieta, oyendo el silencio.

A veces soñaba con ir a algún sitio donde no conociera a nadie ni nadie la conociera a ella. Cynthia imaginaba un lugar frío, como Alaska, cerca de un lago glacial, donde las águilas anidaran en los árboles. Pensaba en un sitio cálido, en alguna isla sin turistas, donde las olas rompieran en una playa tranquila. Como una persona primitiva podría vivir ahí, simplemente día a día; y todos los días iban a transcurrir sin recuerdos del pasado ni necesidad de preocuparse por lo que pudiera ocurrir en el futuro.

Naturalmente ella sabía, incluso cuando estaba fantaseando, que esos sueños eran una tontería. Sabía tan bien como cualquiera que la mejor, o tal vez la única, manera de deshacerse de su malestar era trabajar y relacionarse con otras personas. Pero eso era justamente lo que Cynthia hacía. No pensaba sólo en su persona ni se compadecía a sí misma, porque eso le resultaba repugnante.

Y sin embargo, no se había curado...

Se estaba levantando viento. Como hacía un frío terrible, se arrebujó en su chaqueta. Era una fina y tibia chaqueta de cachemir gris, tan costosa que había vacilado antes de comprarla. Pero cuando se trabajaba en el mundo de la moda, no podían evitarse algunas extravagancias; eran parte de su trabajo. Pero todo eso había ocurrido hacía mucho tiempo, en otra vida, a la cual nunca quería regresar.

Y empezó a caminar de vuelta a la casa, pensando que para ese momento ya debía de haberse resuelto algo, lo más probable para peor. Sintió mucha lástima por la abuela, tan inocente, tan esperanzada, que trataba de arreglar todo para mejor.

Otro auto, un Jaguar negro, se había agregado a los otros tres. Al verlo Cynthia se detuvo en seco. Era imposible que fuera el auto de Andrew... Pero sí, era. Se sintió débil de ira. En un impulso, se dirigió a la puerta de la cocina con la intención de esconderse, pero no tenía sentido pues la buscarían por todas partes para irse. De modo que enderezó los hombros y entró con valentía por la puerta principal, hacia el vestíbulo.

Andrew estaba ahí con Jenny. Era evidente que acababa de llegar, pues todavía tenía puesta su chaqueta de lana. Un recuerdo surgió como un chispazo en la mente de Cynthia: un sábado ventoso habían salido a comprar el paseador doble y después habían adquirido la chaqueta de lana roja. Volviendo al presente, vio el rostro sorprendido de Andrew, rojo por el viento, con círculos oscuros debajo de los ojos.

—¿Qué estás haciendo aquí? —le espetó, furiosa.

—No lo sé. Me invitaron. Tu abuela me llamó por teléfono. No tenía idea de qué quería. No me dijo nada.

—Qué bonito cuento. ¿No sabías que yo iba a estar aquí?

—No. —Andrew sonrió vacilante. Tenía una actitud conciliadora, como si no estuviera seguro de lo que ella iba a hacer. Y Cynthia tenía ganas de borrarle la sonrisa con una bofetada.

—No te creo —dijo Cynthia—. Tú y mi abuela, quien parece haber perdido la razón, planearon todo esto.

—No puedo hacer nada si no me crees, pero es la verdad. Estoy parando el fin de semana en la casa de Jack Owens, y tu abuela encontró por casualidad a Mary Owens en el pueblo. Así supo que estaba con ellos, y me llamó.

—Bien, ahora que has venido, puedes dar la vuelta e irte.

—No puedo hacer eso sin antes haber visto a tu abuela, ¿no te parece, Cindy?

—No soy Cindy para ti, sino Cynthia. O mejor aún, no soy nadie.

—Cynthia, por favor, ¿podemos hablar con tranquilidad, con sensatez?

—No. No. ¿Tiene algo de *sensato* lo que hiciste esa noche? Estaba deprimida, como creí que tú también lo estabas, en el fondo de un túnel oscuro después de perder a nuestros hijos. Yo estaba empezando a salir, a ver un haz de luz, sólo empezando...

—¿Así fue? ¡Pero nunca me dijiste nada! Nunca vi...

—Nunca tuve la oportunidad esa noche, cuando me revolcaste la cara en el lodo. ¡En el lodo! Eso me hiciste. Y tú... ¡ahora te pones a hablar de *sensatez*!

—¡Cynthia! —La voz de Daisy se oyó desde el armario en el vestíbulo. —Estamos tomando los abrigos. Ya nos vamos... pero, ¿qué diablos haces tú aquí? —dijo al ver a Andrew.

—¿Qué demonios haces aquí? —retumbó la voz de Lewis en el vestíbulo—. ¿No le hiciste suficiente daño a mi hija para que estés persiguiéndola?

Ahora Annette llegó corriendo, con los lentes deslizándosele por la nariz.

—¡Basta, Lewis! Él no le está haciendo nada a Cynthia. Yo lo invité.

—¿Que hiciste qué? Esto es demasiado. Has hecho muchas tonterías esta mañana, madre. Me he quedado sin palabras.

De repente el vestíbulo, que era largo y casi tan

ancho como un cuarto común, se llenó de gente como una autopista a la hora pico; no habría más de doce personas en él, pero todos, incluyendo a Ellen con Freddie en los brazos, al oír los gritos, llegaron por distintas puertas hasta el pequeño grupo que se había formado al frente.

—¡Ay, abuela! —exclamó Cynthia—. Abuela, ¿qué me has hecho? ¿Por qué lo hiciste? Si sabías todo...

—Sí, lo sabía. Por eso lo hice.

Mortificada por esta exhibición pública de sus emociones más íntimas, Cynthia empezó a llorar.

Daisy puso los brazos alrededor de su hija.

—Toda esta mañana ha sido un circo. Repugnante. Nos vamos. Eso es todo. Tu presencia, Andrew —dijo con voz helada— es la gota que rebalsó el vaso. —Y dirigiéndose a Annette agregó: —Tenemos que llevar a Cynthia a casa. De inmediato. Y, Andrew, aléjate de ella. Viniste a husmear por aquí, con qué objeto no lo sé, pero aléjate de ella. Lo digo en serio.

—Esto es entre Cynthia y yo, mamá.

—¿Qué derecho tienes a llamarla "mamá"? —espetó Lewis—. Perdiste ese derecho cuando te comportaste como un animal esa noche...

—Por favor, por favor —rogó Annette—. Está bien, cometí un grave error. Pero mi intención fue buena. —Sus ojos se llenaron de lágrimas, y extrajo un pañuelo de encaje blanco del puño para enjugarlos.

—Me iré —anunció Andrew—. Esto es demasiado para usted, abuela. Para todos.

Pero Annette lo tomó de la solapa.

—No, te pedí que vinieras y no quiero que te vayas así. No has hecho nada malo. No.

Aaron sintió lástima. Daba pena ver que atacaban a una persona anciana. A veces, en el ejercicio de su profesión, veía casos similares, y nunca lograba mantener la boca cerrada.

—"No te dejes llevar del enojo" —dijo ahora, lo suficientemente alto para que todos oyeran.

—La mayoría conocemos bien la Biblia, muchas gracias —replicó Lewis.

—Ésta es una casa de locos. —Esta vez Aaron habló en voz baja. —Te lo dije, Brenda, yo no quería venir.

Brenda suspiró con pena.

—Ay, gente, gente. Es trágico, eso es.

—Vergonzoso. Gritan como salvajes.

—¿Tú nunca despotricaste así?

—Bueno, quizá, pero no así.

—Mi amor, gritaste tanto cuando Mark se fugó para casarse con Ellen que temí que los vecinos oyeran. Los vecinos del otro lado del pasillo, por si te interesa, oyeron todo.

Annette se enjugó los ojos llenos de lágrimas. Aunque alta y erguida, de repente pareció muy pequeña.

—¡Abuelo Gene! —exclamó Lucy, pues Gene había salido por otra puerta debajo de la escalera—. ¡La abuelita está llorando!

—¡Buen Dios, Brenda, aquí llegó mi mejor amigo! —murmuró Aaron cuando él y Gene se vieron.

—Cállate, por favor —dijo Brenda—. Estamos atascados aquí hasta mañana.

—¿Por qué no podemos irnos ahora?

—¿Todo el camino de vuelta con Freddie? El viaje de ida fue demasiado largo. Y, además, pronostican tormenta.

—¿Sabías sobre esta reunión, Mark? —preguntó Gene por encima de la cabeza de alguien.

—Sólo que nosotros estábamos invitados. Nosotros y mis padres.

—Qué interesante —murmuró Gene—. Muy interesante. —Luego, rodeando con el brazo a Annette, la consoló. —No llores, madre. Todos sabemos que tu intención fue buena. Es sólo que no ha dado resultado, pero no es culpa tuya. Creo que lo mejor es que ahora todos volvamos a nuestras casas para que tu hogar recupere la paz. Ve a tomar un descanso y no te enfermes por un experimento fracasado. No vale la pena. Ya te dije, vendré la semana que viene a pasar el día contigo. Lo prometo.

"No tienes que mantener tu promesa por lo que a mí concierne", pensó Annette, pero no dijo nada, pues había llegado al punto en que una persona triste y abatida baja los brazos y dice: *No me importa. Que todo se venga abajo. Ya no me importa nada.* Lo había intentado por la fuerza con sus hijos, pero no había dado resultado. Esperaba que Andrew y Cynthia, al verse otra vez, reavivaran el fuego de su amor. Pero nada había funcionado; todos se iban y era el final.

En ese momento Marian entró casi volando desde el comedor.

—¡Qué es esto! —exclamó—. ¿Gente que se va? ¡Pero el almuerzo ya está servido!

Pese a las lágrimas Annette recuperó su dignidad como anfitriona. Con tono de lo más cortés hizo las presentaciones.

—Algunos de ustedes conocen a mi amiga Marian Lester.

—¡Yo sí, yo sí! Tú me regalaste esa muñeca con el sombrero de paja. Iba a traerla, pero mamá dijo que era demasiado grande y que no entraba en la bolsa, y no me dejó. —Lucy siguió parloteando: —Me van a regalar un muñeco igual de grande para mi cumpleaños. El abuelo Gene me lo va a regalar, ¿no es cierto, abuelo Gene? ¿Por qué te estás poniendo la chaqueta? ¿No te vas a quedar a almorzar? El abuelo y la abuela se van a quedar. Nos vamos a quedar hasta mañana a la mañana. ¿Tú no?

—Bueno —empezó a decir Gene. Mientras pensaba: "¡Qué lindo embrollo!", Marian subió el primer escalón y se puso a dar palmadas.

—No se pueden ir así. Simplemente no pueden hacerle esto a Annette —dijo como buena maestra que era—. Jenny preparó un delicioso almuerzo, al que todos fueron invitados. Todos aceptaron la invitación, así que, por favor, guarden los abrigos.

"Bien, bien, ¿quién se cree que es para andar dando órdenes como si fuéramos niños de jardín de infantes?", pensó Daisy.

Gene se rió para sus adentros. "¡Sí que es descarada! Me parece recordar que es maestra. Palmea las manos como si lo fuera. Pero es bonita. Esa nariz pequeña y respingona..."

—Señora Lester —dijo Lewis—, comprendo, pero mi hija no se siente bien, y de verdad tenemos que llevarla a casa.

Pero no iban a convencer a Marian tan fácilmente.

—Son más de las doce y tienen un largo viaje hasta la ciudad. Van a tener que detenerse en el camino para comer algo. Sería mucho mejor que almorzaran ahora antes de partir.

—Sí, por favor —instó Ellen, quien tenía la esperanza de que entre Cynthia y Andrew ocurriera algo, aunque en ese momento no parecía posible.

—No pueden hacerles esto a Annette y a Jenny, después de todo lo que trabajaron. —Marian habló con tono serio. —Simplemente no pueden. Si algunos de ustedes no se soportan —como verán, sé todo sobre muchas cosas— pueden entrar en el comedor por separado. Tomen lo que deseen y vayan adonde quieran para comerlo. Algunos de ustedes se hablan, así que pueden permanecer juntos. Hay suficientes cuartos en esta casa para diseminarse.

—Supongo que tendremos que quedarnos, madre —dijo Cynthia, afligida al ver el rostro desconsolado de la abuela.

—No sé cómo puedes perdonarla por la trampa que te tendió —respondió Daisy, mientras señalaba con la cabeza en dirección a Andrew.

—No la perdono exactamente, pero siento mucha lástima por ella.

—Entonces eres más tolerante que yo. Si no fuera tan anciana, le diría unas cuantas cosas. ¿Se creerá que es divertido hacer este tipo de cosas?

Lewis censuró a su esposa.

—No seas absurda. La conoces muy bien. Ahora vamos —dijo irritado, y empujando a su esposa y a su hija delante de sí, las llevó hasta el comedor.

Pocos minutos después volvieron a salir. Cada uno con su plato, los tres se retiraron para comer solos en la pequeña oficina de Annette.

En el comedor estaba tendida la larga mesa. Había bols y fuentes con rodajas de carne fría, un pastel caliente de pollo, una ensalada de verduras enorme y crujiente, panecillos tibios de tres clases diferentes, galletas de melaza, torta de durazno y ensalada de frutas frescas. Los bols y las bandejas eran de porcelana antigua, la mejor que tenía Annette. En medio de la mesa había un enorme arreglo floral de rosas color crema.

—Un agasajo digno de reyes —comentó Andrew. En el vestíbulo se había producido una pequeña confusión acerca de quién iría a la mesa después de los primeros tres y de cómo algunos podían evitar verse. Conmovido por haber visto a su esposa otra vez —todavía consideraba a Cynthia "su esposa", no sólo porque lo era legalmente, sino porque aún se sentía unido a ella—, Andrew se quedó al pie de la escalera con su plato, sin saber adónde se suponía que debía ir. Se sentía invadido por un tumulto de emociones: tristeza, cierta cuota de enojo y una terrible vergüenza por sentirse superfluo. Si hubiera podido escaparse con elegancia de la casa, lo habría hecho.

En ese momento Gene le dio un cálido saludo.

—¡Andrew! ¡Tanto tiempo que no te veía! —exclamó, mientras pensaba que era una lástima que Lewis no estuviera cerca para ver con qué calidez saludaba a su yerno—. Ven con nosotros. Ellen y Mark van a comer en el jardín de invierno. Como el piso es de piedra, si a Lucy se le cae la bebida, algo que ocurre con frecuencia, no hará ningún desastre. Vamos, apurémonos.

A pesar de su estado de ánimo Andrew no pudo dejar de sonreírse ante el "apurémonos", que evidentemente significaba: "Apurémonos antes de que los padres de Mark lleguen primero y no podamos entrar".

Los padres de Mark fueron los últimos en ir a servirse a la mesa.

—Sólo Dios sabe qué habrá para comer —gruñó Aaron—. Ensalada de camarones, seguramente.

—Bueno, estás bastante gordo así que puedes prescindir de un almuerzo —le dijo Brenda. A esa altura había empezado a contagiarse del malhumor reinante.

Pero para gran alivio de Aaron, quien había desayunado muy temprano, encontró gran cantidad de ensalada y fruta para comer.

Llevaron su comida a la biblioteca, que por haber pasado tiempo allí les era más familiar. No obstante, ya se estaban sintiendo un poco desamparados cuando llegó Mark acompañado por Lucy. Mark se sentó y se puso un bocado de comida en la boca antes de mirar por encima de su plato y sonreírles. La sonrisa, como ambos sabían muy bien, era el modo de Mark de transmitirles que comprendía su incomodidad. Estaban pensando qué diferente habría sido todo si su hijo se hubiera casado con Jennifer Cohen. Bueno, también para Ellen habría sido diferente de haberse casado con ese otro muchacho. Probablemente estaría viviendo en París, en algún barrio elegante y sofisticado.

—Todos estamos tristes —comentó Mark un minuto después—. Que se trata de una situación muy extraña es lo menos que se puede decir.

—Me parece que hay más de una situación extraña —respondió Aaron.

—Qué raro —dijo Brenda—. Esa joven pareja. Cualquiera pensaría que después de su tragedia iban a aferrarse el uno al otro.

—No es tan simple —objetó Aaron—. ¿Eres asistente social y no sabes que existen situaciones complejas?

—Bueno, por supuesto que sí. Debió de haber ocurrido algo después. Sin ninguna duda.

—Ocurrió, pero ahora no puedo contarles. —Y Mark miró significativamente a Lucy.

Brenda tuvo un escalofrío.

—Parece que alguien acabara de morir en esta casa.

—No te preocupes —la tranquilizó Mark—. Dentro de pocos minutos todo el mundo se irá a su casa. Sólo quieren pasar el mal rato.

La habitación se ponía cada vez más oscura. Mark se levantó para encender las luces. Afuera, el cielo era gris oscuro, ominoso y sombrío. La conversación pareció decaer mientras el pequeño grupo, con sus platos en las faldas, contemplaba ese cielo. Hasta Lucy se unió al silencio mientras comía galletas de melaza.

Todos levantaron la mirada cuando entró Annette, quien iba de una habitación a la otra, como si fuera perfectamente natural que sus invitados estuvieran tan dispersos. Después de empolvarse la nariz y quitarse todo vestigio de lágrimas, Annette había resuelto actuar con dignidad hasta el final. Admitía que la había salvado Marian, quien ahora, en el comedor, estaba ocupándose del té y del café.

—¿Cómo están todos? —preguntó alegremente—. ¿Todo el mundo tiene suficiente que comer?

Lucy saltó de su silla.

—Yo no. Quiero torta.

—Pues, por supuesto que sí. Ven conmigo y te daré.

—Abuelo, ven tú también. Le daremos un poco al abuelo Gene. A él le gusta la torta.

Durante un momento nadie respondió, entonces Mark dijo rápidamente:

—El abuelo todavía está comiendo. Ve tú con la abuela.

Ahora Lucy dirigió su mirada seria hacia Aaron.

—Nunca quieres ver al abuelo Gene. Nunca.

Annette en seguida la tomó de la mano.

—Vamos —dijo con firmeza—. No va a quedar más torta si no nos apuramos.

—Olvidamos que los niños observan —comentó Brenda cuando bisabuela y bisnieta se marcharon—. Aunque no comprenden realmente, son capaces de detectar mucho de lo que creemos estar escondiendo. Hasta se dice que los bebés pueden percibir cambios de humor, desde la indiferencia hasta una voz irritada... —La voz de Brenda se desvaneció. Ni su esposo ni su hijo la refutaron.

"En nuestra casa no ocurre eso", pensaba Mark. "Nuestros hijos están a salvo de todo eso." Su bebito rollizo y la pequeña y pícara Lucy estaban a salvo.

—Déjalo, querida —dijo Ellen, pues Lucy, al besar a Freddie, le estaba manchando la mejilla con restos de bombón de chocolate.

Realmente era notable, si se tenía en cuenta todo lo que se decía y escribía sobre los celos entre hermanos, que Lucy hubiera aceptado tan bien la llegada de Freddie. Pese a lo enérgica y traviesa que era al jugar con sus amigos, con su hermano era dulce y cariñosa. "Quizá, se debe a que ve y recibe tanto cariño en su casa", pensó Ellen.

—Estoy aburrida —anunció Lucy.

Gene soltó una risita.

—¿De dónde diablos habrá sacado eso?

—No tengo idea. Por cierto no lo ha oído de mí. Nunca tengo tiempo suficiente para aburrirme.

—¿Qué ocurre? —Annette, todavía de gira por las habitaciones, acababa de entrar. —¿Aburrida? Pues claro que sí. Ahora que almorzó, ella no tiene nada que hacer. Ellen, ¿por qué no la llevas a ver los cisnes?

—Afuera hace un frío bárbaro —dijo Gene, protector como siempre.

—Tonterías. Siempre que esté bien abrigada, un poco de aire fresco y frío le hará bien. También a Freddie.

Ellen aceptó. Contenta de salir de la casa, fue en busca de los abrigos. No se sentía cómoda allí, sino más bien inquieta y aprensiva, como si algo estuviera a punto de suceder. No era su costumbre preocuparse por demás, pero ese día era excepcional. Cuando había tantos enemigos bajo el mismo techo, podía ocurrir una explosión.

Ahí estaba sentado Andrew, observando a Freddie con una sonrisa melancólica en su rostro serio, y sólo Dios sabía con qué dolor en su interior; Andrew, la causa de la desilusión de Cynthia y el objeto de ira de sus padres.

Un comentario casual podía enfadar a Lewis o al propio padre de Ellen, quien a su vez tal vez hiciera o dijera algo capaz de ofender a Lewis o a Aaron; Aaron quizá, a su vez, ofendiera a su padre.

Esto no tenía fin. Con todo ese dolor y toda esa ira, hasta la gente que se creía civilizada podía cometer actos de locura...

Una vez afuera, respiró una larga bocanada de aire frío. El césped marrón, congelado, crujió bajo sus pies mientras, caminando con cuidado, llevaba a Freddie colina abajo hacia la laguna. Lucy, como siempre, iba corriendo adelante.

Hasta en diciembre era hermoso allí. Cuando

los árboles estaban desnudos, se veía la verdadera gracia de sus ramas, elevadas como brazos. Los cuervos, lejos de ser pájaros hermosos, tenían su propia gracia, al levantar vuelo y recorrer el cielo. En el bosque que enmarcaba la propiedad de la abuela había, para una persona consciente de los colores, entre los pinos y la pícea, la cicuta y los abetos, verdes en abundancia: verde oliva, césped y musgo; hasta podía verse el azul polvoriento de una única pícea de Colorado, exótica y solitaria entre todos esos verdes nativos. No pudo haber crecido allí por accidente de la naturaleza; su abuelo debió de haberla plantado. "Debería pintar este paisaje algún día, exactamente como está, o quizá, mejor aun, con el brillo del sol de verano y la sombra", pensó.

Todas esas personas encerradas en la casa en ese mismo momento podían hacer una caminata por el bosque, por el sendero que la abuela mantenía limpio para los *scouts*. Pero no, preferían alimentar los agravios, algunos de ellos tan antiguos que nunca iban a poder ser desterrados. Más fácil sería sacar de raíz esa pícea con una pala de juguete.

Cerca del borde de la laguna había una roca que Ellen recordaba desde su niñez, con una parte plana sobre la que una podía sentarse. Desde ahí era posible apreciar toda la laguna, hasta su unión con el lago mayor.

—Siéntate un minuto conmigo —dijo a Lucy— y mira a tu alrededor. Dime lo que ves.

—Me dijiste que cuando hace frío todas las hojas se caen de los árboles, pero ese árbol de allá tiene hojas —comentó Lucy después de mirar a su alrededor.

—Se llama roble de los pantanos, y es el único que pierde las hojas en primavera, cuando a todos los demás árboles les están creciendo las nuevas.

—¿Por qué?

—En realidad no lo sé, pero voy a averiguarlo y después te responderé.

E iba a tener que averiguar, pues Lucy sin duda iba a acordarse y volvería a preguntárselo. Era una niña intensa, ávida y curiosa. No habían necesitado al psicólogo escolar para saber qué brillante era su hija. Ellen se sonrió para sus adentros al pensar que se necesitaba mucha energía para mantenerse a la par de esta niña de primer grado. Freddie era todo lo contrario: un bebé mucho más tranquilo de lo que había sido Lucy. Ahora estaba sentado cómodamente en su falda, con el chupete en la boca.

—Hace demasiado frío —dijo Lucy.

—Tienes razón. Cada vez hace más frío. Caminemos por el borde, más cerca de los cisnes, y después corramos hasta la casa.

¡Estaba tan tranquilo allí, con sus hijos! Ellen no tenía ganas de volver. Pero estaba empezando a caer aguanieve.

—Vamos, corramos. ¿Ves? Los cisnes abrieron un largo camino; rompieron el hielo para poder nadar. Lo hacen empujando con el pecho. Es un trabajo muy difícil.

Tres cisnes flotaban, con los picos color naranja altos y orgullosos, y las alas blancas con bordes encrespados como faldas de bailarina.

—Ésos deben de ser el padre y la madre con uno de sus hijos, que todavía no aprendió a volar —explicó Ellen—. ¿No son hermosos?

—Quiero acariciar a uno.

—No, no puedes. Están nadando.

—¿Y si caminan hasta aquí, sobre el hielo?

—No debes. No les gusta. Los cisnes pueden ser feroces. Hasta los perros les temen.

—¿Les ladran a los perros?

—No, éstos son cisnes mudos. Significa que no hacen mucho ruido, sólo algunos gruñidos a veces. Cuando son bebés pían un poquito, pero eso es todo.

—¿Dónde viven los bebés?

—En un nido, como los pájaros pequeños. ¿Recuerdas el nido que te mostraron en la escuela?

—El nido de un cisne tiene que ser mucho más grande —observó Lucy.

—Mucho más grande. Tan grande como el sofá que tenemos en casa.

—¿Dónde está?

—Del otro lado de la laguna. No creo que esté ahí en el invierno.

—Vamos a buscarlo.

—Ahora no. Ahora está cayendo aguanieve. Volvamos corriendo.

—Quiero ver el nido.

—No, Lucy, dije que no.

—Pero en seguida vuelvo, lo prometo.

—¡No, Lucy!

—¡En seguida vuelvo, mamita! —Y se fue corriendo por el hielo hacia los cisnes.

—¡Vuelve! ¡Vuelve, Lucy! —gritó Ellen.

Horrorizada, gritando, desgarrándose la garganta, permaneció parada mientras Lucy corría; los cisnes, con un gran chapoteo y apertura de alas, levantaron vuelo cuando Lucy se hundió y desapareció. El agua negra se cerró sobre la niña... Por un instante Ellen miró enloquecida a su alrededor. Después apoyó al pesado bebé sobre el césped, corrió por el hielo, se resbaló, cayó, se levantó y se deslizó en el agua.

En la biblioteca, Mark y sus padres todavía formaban un grupo aparte. Mark estaba sentado junto a la ventana que daba a la laguna, reflexionando.

—Qué situación más extraña la mía. Siempre he apreciado a Cynthia, y también me agrada Andy. A veces jugábamos al tenis los domingos a la mañana. Pero no puedo hablar con ninguno sin herir al otro.

Brenda suspiró.

—Pobrecitos. Perder a un hijo... es lo peor de todo.

Al oír el comentario, Aaron se estremeció.

—A dos hijos.

Aaron estaba inmerso en sus propios pensamientos; percibía la atmósfera de esa casa, de esa habitación con sus retratos y libros. Pensaba en la gente que había vivido allí, norteamericanos de vieja estirpe, en una misma casa durante generaciones, en el mismo vecindario, entre árboles centenarios. Sin envidia pensó que debía de ser una linda sensación. En una biblioteca con puertas de vidrio, separada del resto de los libros de la habitación, leyó los nombres de los autores: Dickens, Balzac, Thackeray... "¿Cómo puede ser que un hombre criado en medio de todas estas buenas cosas sea tan odioso como Gene Byrne?"

Entonces, de inmediato, oyó la réplica: "¿Y por qué lo odias tanto, Aaron? A ti nunca te enseñaron a odiar".

—Mira —dijo, llamando a su hijo—. Éstas deben de ser primeras ediciones, ¿no crees? ¡Qué tesoro! Todas estas grandes mentes...

Fue exactamente entonces cuando, en mitad de la oración, oyó el terrible grito de su hijo.

—¡Qué! ¿Qué?

—En la laguna. ¡Dios mío, se han caído!

Brenda gritó y corrió hacia la ventana.

—¿Dónde? ¿Dónde? No veo...

Pero Mark y Aaron ya estaban corriendo por el vestíbulo, bajando las escaleras hasta el césped.

En el vestíbulo se empezaban a abrir las puertas. De la cocina, la pequeña oficina, el jardín de invierno, de todas partes salía gente.

—¿Qué sucede? ¿Qué ocurrió?

—¿Qué diablos pasa? —gritó Gene. Los gritos de Brenda lo habían irritado. —¿Qué es todo este alboroto?

—¡Es Ellen! —gritó Brenda en respuesta—. ¡Ellen... cayeron a la laguna!

Entonces todo el mundo salió corriendo. Sin abrigo corrieron bajo el aguanieve, tropezándose y resbalando colina abajo detrás de Mark y Aaron.

El canal de agua era angosto, no más ancho que el cisne que lo había abierto. Uno de los bordes estaba serrado, allí donde el hielo se había roto bajo el peso de Ellen. Ahora Mark se hundió en el agua para agarrar a Ellen, quien, vestida con una gruesa chaqueta de plumón y zapatos pesados, luchaba por salir.

—¡Lucy! ¡Lucy! —imploraba.

—¡Soga! ¡Traigan soga! —gritó Lewis con desesperación.

Bajo el peso de Lewis se rompió un pedazo de hielo, así que dio un salto atrás. A cada lado del canal el hielo se quebraba.

Andrew llegó corriendo con soga.

—En mi baúl —explicó jadeando—. ¿Puedes alcanzar...? —Y extendió la soga hasta Mark.

—¡No! ¡No! Es Lucy. —Mark lloraba. —Ella no sabría...

De inmediato Andrew comprendió lo que le decía. Ella no sabría agarrarse a la soga. La laguna tenía unos cinco o seis metros de profundidad, y la niña estaba en el fondo. De todos modos, ¿y si la soga no era lo suficientemente larga?

Los cuatro hombres, pues Gene se había unido a los demás, se quedaron inmóviles durante un segundo, desesperados por no saber qué hacer, hasta que Andrew, preparado para saltar, se quitó los zapatos, pero fue abruptamente empujado a un costado.

—Déjame a mí. Átame la soga alrededor de la cintura —ordenó Daisy, mientras se quitaba los zapatos y la falda—. Roguemos a Dios que sea lo suficientemente larga. Átala con la menor cantidad de soga posible. Dame tres minutos. Si para ese entonces no tiré de la soga, súbanme.

Ellen se había desmayado sobre el hombro de Mark. Aaron y Gene estaban tratando de sacarlos del hielo, pero sin una soga era casi imposible. Mientras tanto, Andrew sostenía con ambas manos la cuerda, que ya se había puesto tensa. La soga era demasiado corta, o bien Daisy ya había llegado al fondo y tal vez —sólo tal vez— había encontrado a Lucy.

No había ruido a excepción del constante golpeteo del aguanieve sobre el hielo. El pequeño grupo horrorizado de espectadores, que aguardaba sobre el césped que rápidamente emblanquecía, permanecía mudo e inmóvil en el frío ártico. Al igual que quienes observan cómo un avión con desperfectos intenta el aterrizaje mientras el equipo de emergencia es preparado para un desastre, todos miraban con los ojos y la boca bien abiertos. Hasta los perros estaban quietos, como si supieran que ocurría algo fuera de lo normal.

Después de quién sabe cuánto tiempo, Andrew sintió un tirón en la soga.

—¡Está tirando! —gritó. Y cuando Lewis saltó para ayudarlo, protestó: —No, déjeme a mí. Soy más joven, y usted tiene mal la espalda.

De inmediato Gene saltó para ayudar, y dejó a Mark con un brazo alrededor de Ellen y el otro antebrazo apoyado en un vano intento por incorporarse en el hielo resbaladizo. Juntos, poco a poco, Andrew y los dos hermanos tironearon, lucharon por mantenerse en pie, resbalaron, cayeron, volvieron a levantarse y tiraron un poco más, hasta que por fin apareció la cabeza de Daisy encima del agua. Tenía la cara azul, el pelo empapado y estaba sin aliento, pero tenía apretada a Lucy contra el pecho.

Desde el grupo de mujeres, que esperaba sobre el pasto, se oyó un grito. Todas, incluso Jenny, vinieron corriendo. Gene tomó a Lucy mientras que Daisy, jadeante, cayó sobre el hielo.

—Atrás, todos —advirtió Andrew—. No está tan sólido cerca del borde. Retrocedan.

La niña yacía sin vida, con el largo cabello empapado y las piernas colgando en los brazos de Gene.

—¡Dios mío! —gimió—. ¡No respira!

Aaron le quitó la niña de los brazos.

—Démela. —Y empezó a correr hacia el pasto.

—Por el amor de Dios, ¿podría alguien agarrar a Ellen? No puedo sostenerla más.

Andrew y Lewis, que atendían a Daisy, corrieron con la soga, la ataron con fuerza alrededor de los dos y tiraron. Mark, débil por el agotamiento y el frío, cayó sobre el hielo. Ellen estaba inconsciente.

—¡Dios mío! —murmuró Andrew—. El agua debe estar congelada.

Todo era un caos. Entonces Aaron, tenso y brusco, apoyó a Lucy sobre el césped y se hizo cargo de la situación.

—Acuesten a Ellen. Que alguien lleve a Daisy a la casa. ¡Rápido! Ella necesita ropa seca y tibia, frazadas y bebidas calientes. ¡De inmediato! —Las palabras salieron como balas. —Tú... ¿cómo te llamas? Andrew, ¿sabes hacer resucitación boca a boca?

—No, pero si me enseña, puedo.

—Yo lo he hecho. ¿Dónde...? —Lewis intervino.

—Entonces que Andrew lleve a su esposa a la casa. Usted, Lewis, encárguese de Ellen. Yo me haré cargo de la pequeña. ¡Vamos, vamos, vamos! —Ni la madre ni la hija, tendidas lado a lado, respiraban. —Haga lo que yo hago. Mire. Mueva la cabeza hacia atrás y hacia delante, lo más que pueda. Míreme. Hacia atrás y hacia delante. Hacia atrás y hacia delante. Abra las vías respiratorias. Apriete la nariz. No, así. Apriete. Ahora coloque su boca sobre la de ella, herméticamente, y sople. Deje que el aire fluya...

El aguanieve caía sobre Aaron, arrodillado sobre el césped, tratando de devolverle la vida a su pequeña nieta, y sobre Lewis, quien hacía lo mismo por la hija de su hermano.

Gene y las mujeres esperaban, temblando por la vestimenta liviana que llevaban. Nadie se movía. Annette lloraba en silencio. Mark estaba en cuclillas sobre el césped. Cynthia, con el bebé en brazos, observaba a su padre. Admirada, Brenda observaba a su marido; estaba confiada: si era posible, Aaron lo haría.

Pasó el tiempo: si fueron dos minutos o veinte, nadie pudo calcularlo. Pero a todos les pareció una eternidad.

De repente, Lucy se movió y tosió. Un chorro de agua saltó de sus pulmones; empezó a llorar y vomitó. Mark se obligó a incorporarse sobre sus piernas tambaleantes y la tomó, mojada, sollozando y temblando, entre sus brazos.

Pocos minutos después Ellen también vomitó un chorro de agua. Confundida, trató de levantarse y entonces, al abrir los ojos a la realidad, tuvo un ataque de nervios.

—¡Lucy! ¿Dónde está Lucy? ¿Dónde está Freddie? Ay, por amor de Dios, ¿qué le ocurrió a Freddie, lo dejé...?

—Freddie está bien. Está con Cynthia. Y Lucy está aquí, mira. Ella también está bien. Cálmate, Ellen. Cálmate —susurró Lewis—. Ahí está ella con Mark. Y aquí está tu padre.

—Necesitamos un auto, necesitamos ayuda —dijo Aaron—. No pueden volver caminando.

Pero Marian, la práctica Marian, ya había pensado en eso y había salido corriendo hacia los autos estacionados. Pocos minutos después llegó con su camioneta cuatro por cuatro por el césped y Ellen, con Lucy colgada del cuello, subió al auto.

—Es mejor que el resto trotemos hasta la casa —advirtió Aaron—. Hace más de veinte minutos que estamos afuera y la hipotermia no es ninguna broma.

Empapados y temblando, con dedos y pies congelados, todos aquellos que no entraron en la camioneta fueron corriendo hacia la casa.

* * *

Una hora después todo el mundo estaba reunido en la biblioteca, donde Jenny, mientras los sobrevivientes eran atendidos arriba, había armado un gran fuego con leños. Cerca del calor del fuego crujiente, en una silla enorme estaba sentada Ellen con Lucy en la falda; ambas dormitaban bajo una gruesa frazada roja. Del otro lado del fuego, en un par de sillas similares y también tapados con frazadas, estaban sentados Mark y Daisy, con Freddie y una pila de cubos sobre el piso. Sobre una mesa, al alcance de todos, había una bandeja grande con una variedad de bebidas calientes, desde brandy hasta café y chocolate para Lucy. Annette, al recordar que el azúcar era un rápido remedio para el agotamiento, había agregado un plato con galletitas dulces.

—¿Qué otra cosa puede hacer una persona, a mi edad, más que servir comida? —preguntó a Marian—. Debería estar haciendo algo más, pero no sé qué. Todavía estoy temblando, y me siento una inútil.

—¿Inútil? Eres la última persona que puede decir eso sobre sí misma.

—Habla mi leal amiga.

—No, es la verdad.

—Hoy no podría haberlo logrado sin tu ayuda, Marian.

—No fue mucho lo que hice, pero me alegro de haber podido ayudar. Ahora será mejor que me vaya a casa.

—¿Estás segura de que no quieres quedarte a cenar?

—Me quedaré otra media hora. Pero el tiempo

está empeorando y quiero llegar a casa antes de que oscurezca.

La habitación estaba muy silenciosa, a excepción del crujido del fuego. Quienes estaban cerca de la chimenea se recuperaban, y los demás, pensó Annette, naturalmente respetaban el descanso del prójimo. Pero también se le ocurrió pensar que era la primera vez desde que habían entrado en la casa que todos estaban juntos en la misma habitación, aunque todavía se encontraban desparramados. Gene estaba sentado en un sofá cerca de ella. Andrew había llevado una silla cerca del sofá, con los perros a sus pies. Cynthia, lo más lejos posible de Andrew, se hallaba con su padre del otro lado de la habitación, cerca de Daisy; formaban un grupo suelto con Aaron y Brenda. Los comentarios que se hacían entre ellos eran murmullos, inaudibles desde el otro extremo donde estaba Annette. "Después del susto, cuando durante esos horribles minutos todos permanecimos en silencio total, sin saber si Ellen y Lucy estaban vivas, ésta es una reacción normal. ¿O sería más normal dar rienda suelta a las emociones?", se preguntaba Annette. Realmente no lo sabía. Lo único que sabía era que tarde o temprano alguien iba a tener que decir algo.

Así que levantó la voz lo suficiente para que todo el mundo la oyera y preguntó:

—¿Todos han entrado en calor?

—Yo, sí —respondió Aaron Sachs—. ¿Pero cómo está usted, señora Byrne?

—Daisy —lo corrigió Daisy con el tono resuelto que la caracterizaba—. Y estoy bien, gracias.

—Eres mi heroína, tía Daisy —le dijo Mark—. Por el resto de mi vida… No sé cómo… no puedo expresarlo.

—Dos minutos y tres cuartos, según mi reloj, sin respirar —comentó Andrew—. Justo en el límite.

—Una heroína —repitió Aaron—. Una heroína con buenos pulmones.

Annette miró a Gene, quien se aclaró la garganta y se inclinó para acariciarle la cabeza a Roscoe.

—Sí. Parece que la mejor palabra es *gracias*, Daisy —dijo casi con timidez—. Dos sílabas que equivalen a la vida de una niña. —La voz se le quebró. —Gracias. Gracias, Daisy.

Durante algunos minutos nadie habló.

—Había un par de jóvenes en el club que nadaban bajo el hielo —comentó Lewis—. Algo un poco loco, muy loco. Pero Daisy lo hizo un día. Esos muchachos le enseñaron. Me enojé con ella. Daisy se atreve a cualquier cosa.

Annette sintió que una pequeña puntada de vergüenza le recorría la espalda. ¿Qué derecho tenía ella a reírse, siquiera mentalmente, del atletismo "típico de escuela de pupilos y de clubes elegantes" de Daisy? "Sólo porque no es igual que yo, me sentía superior, una persona más seria", se reprendió a sí misma. "Dios mío, si de vez en cuando todos nos miráramos con honestidad, no siempre nos gustaría lo que vemos."

—La hipotermia puede llevarte al hospital en cuestión de minutos —decía Aaron—. Es lo único que se necesita.

—¡Qué curioso! Cuando limpié el baúl del auto, iba a tirar esa soga —reflexionó Andrew—. La tenía ahí desde una vez que quedé atascado en la nieve. Fue durante una excursión de esquí a Vermont. —Luego agregó: —Qué suerte que no lo hice.

—Nunca aprendí a nadar debajo del agua —dijo Mark—. Tampoco a hacer resucitación boca a boca. Ahora me propongo hacerlo.

—La Cruz Roja —aconsejó Lewis—. Daisy y yo tomamos un curso. Muy divertido también.

Todos hablaban sin mirarse entre sí. Parecía, pensó Annette, que todos hablaban a un auditorio público, o simplemente al aire, o quizá sólo pensaban en voz alta.

Cynthia permanecía en silencio. Observaba a Freddie, quien, después de muchos pacientes intentos, acababa de construir una torre con tres cubos. Y trató de recordar lo que había leído en uno de sus muchos libros —que tiempo atrás había regalado— sobre las diferentes etapas de desarrollo de los niños. "¡Qué preocupaciones tontas que tenemos! Como si importara que un bebé hermoso y saludable como este fuera un poco más inteligente o un poco más lento que el bebé de la casa de al lado." Las mejillas de Freddie, antes rojas por el frío, ahora estaban rojas por el calor. Con una risa feliz derribó la torre. Después empezó a construirla otra vez. Cynthia no podía quitarle los ojos de encima.

No obstante, se dio cuenta de que Andrew había estirado el cuello en su dirección. No sabía si la miraba a ella o a Freddie, pero le era indiferente. Él no pertenecía allí.

"Debería ver más a Ellen y a Mark", pensó. "De algún modo, sólo Dios sabe cómo el hecho de ver a Freddie, el hecho de alzarlo cuando lloraba sobre el césped me ha cambiado. Nunca pensé que iba a poder volver a tener un bebé en brazos."

—Es la hora de su comida —dijo Mark, mientras se ponía de pie.

—Si me dices qué come, yo se lo daré —se apuró a decir Cynthia.

Mark sonrió.

—Quieres darle de comer, ¿no es verdad?

—Sí. ¿Puedo?

Ella se dio cuenta, cuando Mark asintió, de que la comprendía.

—Come alimento de bebé y después un biberón. Vas a encontrar todo en la bolsa que está en el vestíbulo. Espera, te la traeré.

—No, yo voy a buscarla. Él viene conmigo. Parece que le agrado.

—Jenny tiene la silla alta —dijo Annette.

Freddie ya estaba tomando su biberón sobre la falda de Cynthia en la pequeña oficina, cuando Marian, con chaqueta y botas, pasó por la puerta.

—Bonito cuadro —observó.

—Entra un segundo. Quiero agradecerte por haber ayudado hoy a la abuela. Y a todos nosotros.

—¿No fue un día horrible? Y sin embargo, por más que parezca una locura, quizá salga algo positivo.

—Tengo la sensación de que así será. El tío Gene y mi padre tienen que pensar en muchas cosas después de lo que ocurrió. En realidad, me parece que ya empezaron a hacerlo.

—La muerte, o siquiera la posibilidad de ella, ejerce un efecto poderoso sobre la gente. Nunca me di cuenta de cuán poderoso hasta que me tocó vivirlo.

—Creo que la abuela me dijo que eres viuda.

—Una viuda repentina. Fuimos a la ciudad para pasar un fin de semana largo, tuvimos una cena maravillosa, vimos una obra de teatro magnífica y fuimos felices a la cama en nuestra habitación de hotel. A la mañana lo oí levantarse, cruzar la habitación y caer.

Marian se sentó en el borde de una silla. Su rostro estaba inexpresivo, y de un modo extraño, eso pareció conmover más a Cynthia que las lágrimas.

—Era alto, delgado y rubio, con sangre escandinava y atlético. De esas personas que uno cree que fueron hechas para vivir mucho tiempo.

—Qué horrible para ti.

—A veces me enojaba con él. Tantas horas, tantos días desperdiciados... Y ahora se fue. Para siempre. Nunca más. —Levantó las manos, con las palmas hacia arriba. —Y eso fue todo. —Después se levantó, y volviendo a su actitud enérgica y práctica, concluyó: —No sé por qué me puse a hablar de esto. Lo siento. Qué bebé más dulce. Tiene ojos hermosos. Será mejor que me vaya corriendo. Ya es de noche.

Por qué me puse a hablar de esto. Cynthia sonrió con ironía. "Quisiste darme una lección, ésa fue la razón. Pero no sirvió, Marian. No, porque mi situación es completamente diferente. Por completo."

Cuando llevó de vuelta a Freddie a la biblioteca, Ellen, ya despierta, lo tomó de sus brazos, y la dejó con las manos vacías. La invadió una fea sensación de vacío. Y se quedó ahí parada, oyendo cómo el fuerte viento sacudía las ventanas.

—No me gustaría tener que salir en auto esta noche —observó Annette.

—Será mejor que me despida de todos y me vaya ahora mismo —se apresuró a decir Andrew.

—Por supuesto que no —protestó Annette, mientras pensaba: "Quiere irse porque Cynthia ni siquiera lo mira". —Es un viaje de dieciséis kilómetros; además, Jenny acaba de oír en la radio que los caminos están cubiertos de hielo. Hay sitio de sobra para ti. Esta casa es elástica. Se estira hasta que alcance para todos. —Y como Andrew vacilaba, agregó con deliberada falta de tacto: —Tú lo sabes. Has parado aquí con bastante frecuencia. Siéntate, Andrew.

Hubo un momento de inquietud en la habitación, como si todos hubieran estado sentados demasiado tiempo o como si, después de haber dicho todo lo que eran capaces de decir, hubieran tomado conciencia de lo mucho que quedaba por expresar.

Brenda se puso a plegar las frazadas rojas que ya no se utilizaban.

—Brenda ha estado haciendo camas para que

todos ustedes pasen la noche —anunció Annette—. ¿No es increíble? Cuando fui arriba, la encontré trabajando. No tenía que hacerlo, Brenda.

—Es que Jenny está bastante ocupada en la cocina y realmente somos una multitud. No se preocupe, no desordené el armario. Soy de lo más quisquillosa... Aaron, no te sientes en esa silla. ¿Cómo se te ocurre? Tu traje todavía está mojado.

Aaron se levantó de un salto.

—Lo sé pero, ¿qué puedo hacer? No tengo otro traje.

—¡Dios mío, pero si está empapado! —exclamó Annette . ¿Ninguno tiene, ninguno puede...? —Y miró a su alrededor, buscando. —Tú eres el que más se acerca a su talle, Gene.

Desconcertado, Aaron se echó a reír.

—Sólo una diferencia de quince centímetros.

Gene, incómodo, se puso a acariciar a Roscoe, cosa que no hacía con frecuencia pues no era muy aficionado a los perros.

—Tengo algunas cosas mías aquí. Encontraré algo —sugirió con timidez.

—Problema resuelto —dijo Annette.

"Veremos qué sucede en la cena", pensó. "No estoy segura de nada, pero por lo menos hemos progresado un poco..."

—¿Qué tal si subimos a descansar? —propuso alegremente—. Es decir, si quieren. Creo que todos merecemos un descanso. En cuanto a mí, dormiré una siesta antes de cenar. La cena es a las siete.

* * *

"La mesa del almuerzo se transformó para la cena", pensó Andrew, quien reparaba en esos detalles del mismo modo que observaba que una mujer con suéter y falda, por más elegante que sea, se transforma al ponerse un vestido de noche. Las velas en candeleros de plata iluminaban el juego de porcelana color amarillo pálido con motivos griegos en los bordes. Las rosas color crema en el bol enorme ahora estaban acompañadas por ramos pequeños dispuestos a lo largo de toda la mesa. Una vez más Annette los agasajaba como a reyes. Con cierta amargura pensó: "Bien podría servir para organizar una fiesta de casamiento... como de hecho lo hizo una vez".

Con su especial cuidado por los detalles domésticos, Annette escudriñó la mesa hasta quedar satisfecha. No era muy frecuente en esos días que se sirvieran cenas festivas en esa hermosa habitación que durante tantos años había estado acostumbrada a luces brillantes y a conversaciones animadas. Ahora la vida era tranquila en esa casa donde vivía con Jenny y los perros. Annette volvió a pensar: "Bien, hemos progresado desde la catástrofe que casi se desata hoy. Pero veamos qué sucede luego."

—Nos serviremos en el aparador y después nos sentaremos donde deseemos —dijo—. Gene, ¿puedes abrir el vino? Y, Lewis, tú eres buen trinchador, así que, por favor, corta la carne asada.

—¡Ah, carne asada! —exclamó Lewis—. Especial para el colesterol. Pero me encanta. Es la primera vez que como carne en seis meses.

—Aaron y Brenda, hay pastas para ustedes.

Jenny hace una salsa de tomate maravillosa, sin carne. Y hay muchísimas verduras —les aseguró Annette. Mientras hablaba apenas podía evitar reírse, pues Aaron quedaba muy ridículo con el traje prestado.

—Si quiere reírse, adelante —la invitó Aaron—. Pude verme en el espejo cuando bajaba la escalera.

—¿Acaso es adivino? Bien, si he de decir la verdad...

Ahora Aaron se echó a reír.

—No tiene que decirlo, todo el mundo puede verlo.

Los pantalones, por lo menos quince centímetros más largos, estaban acortados con alfileres de gancho. En la cintura, otro alfiler de gancho grande, tomado de las cosas de Freddie, impedía que se le cayeran.

—Por supuesto, mientras me quede sentado nadie se dará cuenta y así mi dignidad quedará a salvo.

—Dígame, ¿cómo están las pastas?

—Perfectas, gracias.

—¡Tantas molestias por nosotros! —agradeció Brenda.

—No fue ninguna molestia, sino un placer.

Mark, desde el otro extremo de la mesa, sintió un repentino orgullo hacia su madre. Era una mujer amable. Mark nunca había pensado en qué imagen daba, en cómo los demás podrían considerarla, exceptuando a su suegro, ¡y sólo Dios conocía los prejuicios que tenía! Ahí la veía sentada, tranquila y confiada, con un elegante vestido oscuro y un collar angosto de oro. Sintió una gran ternura por ella.

La ternura rebosaba en él. Aquí estaba Ellen, su amor, y Lucy, sentada en lo alto de los dos volúmenes del *Oxford English Dictionary* pertenecientes a Annette, y Freddie, dormido y seguro, arriba, en su cuna portátil; de más estaba decir que todos ellos le eran más preciosos que su propia vida. Sin embargo, esa noche parecía que su capacidad para sentirse en unidad con otros seres humanos se había expandido también, de modo que, con diferente intensidad, podía decir que "amaba" a todas las personas que estaban en la habitación, fuera cual fuese la definición de *amor*.

Annette, quien interpretó su expresión, se sintió conmovida. Y una vez más percibió que se producía una especie de distensión en la atmósfera: doce personas, bonito número, alrededor de la mesa, empezaban a conversar un poco. De repente se dio cuenta de que había estado sentada con los músculos tensos y de que debía relajarse.

Todos parecían tan *civilizados*. Y eran las mismas personas, el mismo grupo, que esa mañana en el vestíbulo se había mostrado tan *salvaje*. Quizás habían tenido oportunidad de reflexionar seriamente durante esa breve siesta...

Su mirada se paseó por sus dos hijos. ¿Era sólo por accidente que estaban sentados uno junto al otro? Luego se desplazó hacia Lucy, con su vestido rosa, y hacia los reflejos bronceados de la cabellera de Ellen, hasta la prolija barba de Aaron Sachs, y sus ojos quedaron satisfechos.

Cuando su mirada se posó en Cynthia… ¡ah, ésa era otra cuestión! Vestida con seda gris y perlas apropiadas, estaba inmóvil como una estatua, fría, distante e inexpresiva. Y en el corazón de Annette hubo una dolorosa confrontación entre compasión e impaciencia. El padre y la madre de Cynthia, al parecer, se habían acercado a Andrew. Y sin embargo, ¿quién era ella, sólo una abuela, para juzgar?

—¿Sabían que me caí al agua? —sonó la voz de Lucy, sin dirigirse a nadie en particular—. No me acuerdo cómo salí, pero lo hice.

—Fue la tía Daisy quien te rescató —le informó Ellen—. Deberías agradecerle adecuadamente.

Lucy se apresuró a bajar y, al hacerlo, tiró al piso los diccionarios. Corrió hacia Daisy y le dio un enorme abrazo.

—Voy a decirles a todos en mi clase lo que hiciste —proclamó.

"Es una diablita", pensó Daisy, mientras le devolvía el abrazo. "Tiene suficiente energía para dos de su edad. Debe de tener a Ellen a los saltos. Pero es muy, muy dulce. Qué tontería de mi parte, pero en cierto modo siento necesidad de protegerla."

—Cada minuto que pasa me parece más increíble —decía Gene—. ¡Lo que hizo Daisy! Cómo podré agradecerte alguna vez… a todos ustedes… Si vivo cien años… Discúlpenme. —Y un poco avergonzado se enjugó los ojos.

Con torpeza, Lewis dio una palmadita en el brazo de su hermano.

—Está bien. Ya lo hiciste y todos sabemos… Todos sabemos.

Aaron, sentado frente a los dos hombres, se sorprendió a sí mismo con sus propias reflexiones. "¡Qué curioso! Nunca imaginé que hombres como él fueran capaces de llorar. Con tantos aires. Por supuesto, no me parezco en lo más mínimo a ellos. Es otro mundo. La misma ciudad, pero otro mundo. Y, sin embargo, aquí estamos todos sentados con los mismos sentimientos por lo ocurrido a esa pequeña niña, a esa madre el día de hoy. Estamos aquí sentados, alimentándonos, todos con hambre, con los mismos estómagos, los mismos huesos, por lo que yo sé. Las pocas veces que vi al mayor no me formé ninguna opinión especial, ni buena ni mala. Me pareció un caballero, eso fue todo. Bien. Los dos hermanos son iguales, por lo que veo. La única diferencia es que la hija del mayor no se casó con mi hijo. Parece que se están reconciliando. Así lo espero por el bien de Annette. Por el bien de ellos también. Estos problemas en una familia son malos. Muy malos."

—Por el resto de mi vida —decía Gene— voy a tener pesadillas por lo que pudo haber ocurrido.

—Pero no ocurrió —replicó Lewis—. Y en cuanto a las pesadillas, supongo que ambos ya hemos tenido bastantes.

Mientras Lewis hablaba, todos dejaron de conversar. Annette, quien estaba conversando con Brenda, aguzó el oído. Daisy, que empezaba a decirle algo cordial a Andrew —pues, aunque estaba furiosa con él, hoy había sido muy amable con ella, algo que le había informado a Cynthia— ahora se detuvo.

—Sí —repitió Lewis—, sin duda hemos tenido muchas pesadillas.

"Admito que quizá, después de todo, me deje influir como un tonto", estaba pensando Lewis. "De no haber sido por la familia Sprague, por el abuelo juez, con todo su prestigio, probablemente habría exigido la verdad. Habría hecho un escándalo."

—Parece que el día de hoy veo las cosas de otra manera —dijo.

Gene asintió.

—Sí, sí, sé a qué te refieres. Supongo que las circunstancias alteran las cosas, ¿no es verdad? Un cliché. Pero los clichés son ciertos.

Y se preguntó si en realidad no era posible que Jerry Victor fuera un agitador con motivaciones propias. Si lo hubiera sido, no habría alterado el hecho de que Sprague era, sin duda, culpable; sólo habría explicado en parte la renuencia de Lewis a desafiar a Sprague. "Tal vez si Sprague hubiese sido amigo mío, yo también habría vacilado. He sido rápido para condenarlo. He estado cerrando mi mente para con Lewis, sin siquiera tratar de comprender o de perdonar."

Annette observó a sus dos hijos. "Debe de haber sido difícil para Gene estar siempre en segundo lugar, tener que esperar siempre, por ser el menor, para gozar de ciertos privilegios, hasta para entrar en el negocio. Por supuesto, no podría haber sido de otro modo; sin embargo, esa situación a veces crea un poco de resentimiento en un hermano menor. Y si el mayor se da cuenta de ese resentimiento..."

Y de repente las palabras empezaron a salir de su boca, palabras que no tenía intención de manifestar.

—Han sido demasiado orgullosos para hablar, ustedes dos. Demasiado orgullosos. Su padre también era así.

—¡Es la primera vez que haces una crítica de papá! —exclamó Lewis.

—¿Y qué pensaban? ¿Que era perfecto? ¿Quién lo es, por favor, díganme? El orgullo —repitió, casi enojada.

—"El orgullo del hombre lo humillará; el humilde de espíritu obtendrá honores" —dijo Aaron—.

—¡Aaron! —gimió Brenda—. ¿Qué diablos te ocurre?

—No le ocurre nada malo. Esa cita es de la Biblia —dijo Daisy—. Mi padre siempre citaba la Biblia.

—¡Pero justo en este momento y en este lugar! —Entonces, a pesar de sí misma, Brenda tuvo que reírse. —Les diré qué ocurre, creo que ha bebido demasiado vino.

—"Arrogante es el vino, tumultuosa la bebida" —replicó Aaron con un guiño.

Ante este comentario todos se echaron a reír tan fuerte que Jenny apareció por la puerta de la cocina, sonrió y sacudió la cabeza, sorprendida.

—Quiero bailar —anunció Lucy—. Nosotros siempre bailamos.

—A Mark y a mí a veces nos gusta bailar —explicó Ellen—. Ponemos un CD y enrollamos las alfombras. Lucy tiene su propio CD. Quiere ser bailarina.

—¿Qué música le gusta a Lucy? —preguntó Annette.

—*Gaîté parisienne*. ¿Lo tienes?

—Vaya, sí, pero esta alfombra no puede enrollarse.

—No importa, bailaré en el vestíbulo —se conformó Lucy.

Ellen se daba cuenta de que Lucy estaba recibiendo demasiada atención, pero ese día, ¿por qué no? Ese día Lucy podía tener todo.

Entonces empezó la música. Todo el mundo se puso de pie y contempló la actuación de Lucy. Llena de orgullo, pero más de su propio ritmo, la niña hacía dar vueltas la falda y levantaba los brazos encima de la cabeza.

—¿Quién quiere bailar conmigo? —propuso.

—Yo —respondió Aaron con presteza.

Y adornado con alfileres de gancho, con una mano sosteniéndose los pantalones y dándole la otra a Lucy, dio vueltas con la niña por todo el vestíbulo.

—¡Qué personaje! —murmuró Daisy a Annette en medio de la risa general—. Tengo que retractarme. Los dos parecían tan torpes y fuera de lugar esta mañana en la biblioteca, como si estuvieran ofendidos por estar aquí.

—Nunca sabemos cómo son las personas hasta que las conocemos —respondió Annette.

Estaba pensando en Daisy. ¿Quién podía decir por causa de qué peculiaridad o inseguridad Daisy se daba lo que Annette llamaba "aires"? Pero era tan buena, tan increíblemente valiente... Así que tomó la mano de Daisy y le dio un cálido apretón.

—¡Vamos, Mark y Ellen, vengan! —exclamó Aaron.

"Qué bueno que es con Ellen", pensó Gene. "Y cómo le devolvió la vida a Lucy. Por supuesto, es médico y se supone que debe saber hacerlo, pero aun así, la imagen de él soplando vida en ella... Y Brenda, cómo ayudó, haciendo las camas, trayendo café y mantas..."

En eso Lucy lo llamó.

—Vamos, abuelo Gene, tú también ven a bailar.

Así que el abuelo Gene se unió al baile hasta que, por fin, Aaron se rindió.

—Me he quedado sin aliento. Además, me estoy pisando los pantalones. Los pantalones de Gene, debería decir.

—Es evidente de dónde heredó mi esposo su sentido del humor —comentó Ellen cuando todos volvieron a sentarse.

Mark sacudió la cabeza.

—El mío no es tan bueno como el de papá. Lo gracioso es que mi padre se pone muy serio cuando hace alguna broma. Y cuando de verdad está serio, o enojado por algo... ¡cuidado! ¿No es así, mamá?

—¡Dios mío! Hombres —exclamó Brenda.

—Hombres —le hizo eco Ellen.

—Cuando los hombres están enojados, son como bebés —acotó Daisy.

"Es como en las viejas épocas en esta casa, con bromas y mucha risa", pensó Annette. "Pero, ¿qué habría ocurrido si no hubiéramos estado tan cerca de una tragedia? Sería una vergüenza que fuera necesaria una tragedia para hacer las paces. No. Terca como soy, habría encontrado un modo. Sé que sí."

Después de que todos se sirvieron el postre, un suave merengue blanco con frutillas, Mark se puso de pie con la copa de vino en la mano.

—Quiero proponer un brindis por usted, abuela. Admitámoslo, esta mañana todos estábamos un poquito ofendidos por su pequeño plan. —Sonrió. —Y ahora, en cambio, tenemos que pedirle disculpas, agradecerle y desearle que viva ciento veinte años.

—Gracias, pero con cien me conformo. Hablando en serio, me arriesgué, ¿no es verdad? Anoche estaba tan asustada que llamé a mi amiga Marian para que viniera a ayudarme. Y ahora miren. Mírense entre todos... Será mejor que no hable más pues voy a ponerme a llorar.

"Sí, ella mira, pero no mucho a mí ni tampoco a Andrew", pensó Cynthia. "Destruiste todo lo que sentía por ti", le dijo a Andrew en silencio.

Cynthia lo miró rápidamente y luego desvió la mirada. Él observaba su plato. "Ni siquiera sabe lo que hizo", pensó ella. "Y mis padres, que me aman, tampoco lo saben en realidad. Los vi hablándole hace un momento. ¡Qué cambio radical! ¿Cómo pueden hacer eso? Esperarán que vuelva a él. Vi a mi madre apoyándose en él al subir por la colina hasta la casa. Él le llevó toallas calientes, una manta y café. Muy, muy amable, ¿pero qué tiene que ver eso conmigo? Cuando miro a Mark y a Ellen, me alegro tanto por ellos. Se merecen el uno al otro. Y papá, con el tío Gene... me alegro tanto por ellos también. Ya era hora. Pero nada de eso, tampoco, tiene que ver con lo que me sucedió a mí."

Se levantaron de la mesa ante la propuesta de Annette.

—Tomemos el café junto al fuego, o lo que queda de él.

En la biblioteca el fuego apenas alcanzaba para echar un brillo rosado sobre una pared con libros, que en sí mismos formaban un mosaico de suaves colores. El café estaba sobre una mesa, junto a una enorme pila de bombones de chocolate.

—¡Dios mío! —exclamó Annette—. ¿De dónde salieron?

—De tu vieja confitería favorita en el East Side —respondió Gene.

—Ah, ¿usted también fue ahí? —añadió Brenda.

—Los nuestros también son de esa confitería —concluyó Ellen.

Entonces hubo más risas a causa de los bombones. Annette sintió la calidez de tanta alegría. Se puso a observar y a escuchar, y percibió la paz que reinaba en la habitación.

Brenda examinaba los retratos. Ellen le mostraba un álbum de fotos viejas a Lucy. Daisy miraba los libros en los estantes, y los hombres, todos excepto Andrew, conversaban en un rincón.

—Estoy ahorrando —oyó que decía Mark— para comprar un local para una galería en el centro. Si llego a juntar lo suficiente, será mi sueño hecho realidad. Y me quedará tiempo para trabajar en mi libro. Tengo un editor un poco interesado.

Gene comentó que todo sonaba muy interesante.
—Bueno, puede volverse realidad pero también es posible que no. De todos modos, Ellen y yo estamos bien.
—¿No puedes conseguir un préstamo? —preguntó Aaron.
—Resulta muy difícil obtener un préstamo si uno no tiene muchas garantías.
Durante unos instantes los dos padres se miraron entre sí.
—Es un tema sobre el que habría que conversar un poco más —dijo Gene.
—Estoy de acuerdo —respondió Aaron—. Es una lástima que una persona tenga una verdadera vocación y que deba esperar toda la vida.
Lewis, que estaba escuchando, señaló que eso era cierto. Él mismo había estado extrañando su verdadera vocación. Quería volver a su actividad con alguien, aunque a una escala mucho menor.
—No es imposible, creo yo —dijo Gene con una sonrisa significativa.
—Es hora de ir a la cama —anunció Ellen—. Lucy se está durmiendo.
—Creo que todos nos estamos durmiendo —dijo Aaron—. Hemos tenido un día agotador, que es decir poco.
Annette fue la última en apagar las luces y subir la escalera.
—Mira a mamá —oyó que Lewis le comentaba a Gene cuando ella cerró la puerta—. Tiene la felicidad pintada en el rostro.
Oh, sí, estaba feliz. Excepto por Cynthia. Toda

la noche había tratado de que ella la mirara, de transmitirle un mensaje y un ruego. Pero lisa y llanamente, Cynthia no quería oír ningún mensaje ni ningún ruego.

"Ay, ¿qué me sucede? Quiero la perfección", pensó Annette mientras se acostaba. "Eso me sucede. Como si esta noche no fuera suficiente, quiero más. Lo quiero todo. ¡Y me pongo tan impaciente!"

De un extremo al otro del pasillo, hasta el rincón del ala que Cynthia podía ver desde su ventana, las puertas de todos los dormitorios ya habían sido cerradas para pasar la noche. Ésa iba a ser la primera vez en lo que parecían años que iba a dormir bajo el mismo techo que Andrew. Cynthia recordó que la primera vez que los dos durmieron bajo ese mismísimo techo fue la noche de la fiesta que la abuela les ofreció cuando regresaron de su viaje de bodas.

Pero sería mucho mejor que olvidara todo eso. Sin embargo, hay momentos en la vida de todo ser humano que se rehusan a ser olvidados; instantes de horror indecible como el de ese día, o épocas como la que reflejaba la fotografía, con un marco tan precioso, que la abuela, por alguna razón que sólo ella conocía, había colocado sobre la cómoda en esa habitación. Ahí estaban ellos: Andrew, irreconocible con la chaqueta negra tradicional y los pantalones a rayas; ella entre nubes de seda blanca y flanqueada por ujieres y damas de honor, todos sonrientes, los dos tan felices que la felicidad había hecho efervescencia y les había humedecido los ojos. Cynthia se quedó mirando la foto a la luz del velador.

"Qué inocencia: el verano, las flores y una botella de champagne en la habitación, besos y alegría para siempre. Gracias a Dios que nunca sabemos lo que nos ocurrirá mañana y mucho menos en un futuro más lejano. Teníamos todas las sonrisas y la aprobación, lo teníamos todo, mientras que Ellen y Mark tuvieron que pelear para escapar de la tormenta."

Fue a la ventana. El aguanieve había dejado de caer; la laguna se veía con claridad y brillaba en la oscuridad como una moneda en una calle polvorienta. Entonces revivió toda la espantosa escena: la desesperación de Ellen, su madre quitándose la falda, Andrew en el borde arrojando la cuerda, el bebé abandonado llorando sobre el césped... Toda la escena.

"Después, junto al fuego, y más tarde, durante la cena, debí haber participado del alivio y la gratitud de todos. Por supuesto que en mi corazón así lo sentí, pero también había algo que me mantenía alejada, como un extraño que mira una obra de teatro. Como cuando una persona oye una historia trágica y tiene lágrimas en los ojos porque es humana, un ser humano sensible que siente una profunda compasión, y sin embargo está solo."

Empujó la cortina a un costado y vio las nubes que lentamente se deshacían y retrocedían. Mañana hasta podía ser que hubiera sol. Todos iban a partir lo más temprano posible. Sus padres regresarían a Washington lo antes posible. No estaba enojada con ellos; solamente, y sin lugar a dudas, herida. Y volvió a pensar que no era necesario haberse mostrado tan cordiales con Andrew. "Voy a volver a trabajar", pensó. "Es lo único que necesito. Trabajar."

Todavía era temprano, demasiado para ir a dormir. Pero Cynthia había llevado dos libros y podía leer cómodamente en la cama. Esa casa, aunque nunca había sido su verdadero hogar, siempre la sintió como un segundo hogar. La abuela tenía el don de ofrecer comodidad. En esa habitación, con una amplia cama que probablemente tenía cien años de antigüedad, la lámpara de lectura era perfecta, el acolchado de plumas era liviano y había una planta en flor en una maceta sobre el alféizar de la ventana.

Aunque estaba muy cansada, Cynthia tomó una ducha rápida, preparó la ropa para el día siguiente y se puso una mañanita liviana sobre el camisón de seda. Estos artículos, reflexionó Cynthia mientras se los ponía, pertenecían a una vida, o más bien a fragmentos de una vida, en la que tenía esposo y una profesión. Ahora todo eso había quedado atrás.

No hacía mucho tiempo que leía cuando alguien, sin duda la abuela, a quien solía gustarle ir a conversar un momento antes de ir a dormir, golpeó en la puerta. También era muy probable que la abuela quisiera asegurarse de que Cynthia la había perdonado por la "pequeña trampa" de ese día. Pobre abuela, que creía poder solucionar los problemas de todo el mundo. Sonriendo mientras pensaba en esto, Cynthia se levantó y abrió la puerta.

—¿Puedo entrar? —murmuró Andrew.

—¿Estás loco? —respondió Cynthia con un murmullo furioso—. No, no puedes entrar.

—Por favor, Cynthia. Ya casi entré.

Ella había abierto la puerta por completo y, de hecho, Andrew había avanzado tanto en la habitación que ya no podía cerrarla. Ahora Andrew cerró la puerta con firmeza y se quedó apoyado sobre ella.

—¿Qué estás haciendo? ¿Te aprovechas porque no puedo hacer un escándalo?

—Hazlo si deseas. Tienes todo el derecho. Después de todo, estoy invadiendo tu habitación. Aunque podría parecer un poco raro, pues legalmente todavía soy tu esposo y tengo derecho a estar en tu cuarto.

—Machista. Muy gracioso. Vamos, di lo que viniste a decir y vete.

Él la miraba de arriba abajo.

—Recuerdo ese camisón. Mi color favorito: azul cielo.

Ella tuvo ganas de darle una bofetada para quitarle esa expresión imposible de interpretar, mezcla de pena y súplica.

—Eres repugnante. Vamos, aprovéchate del hecho de que eres quince centímetros más alto y de que pesas treinta kilos más que yo. Vamos, es típico.

—Ay, Cindy, ¿no hemos tenido suficiente? Ya

es hora de seguir adelante. Hace rato que deberíamos haberlo hecho.

—¿Es eso lo que viniste a decirme? Estás perdiendo tu energía y la mía. Estoy en mitad de un buen libro.

—Por favor, escúchame. Estaba tan sorprendido como tú cuando nos encontramos aquí hoy. Dejé de intentar comunicarme contigo después de que un policía me detuvo por merodear delante de tu... de nuestra puerta. Bueno, para ser exacto, casi abandoné la idea. Así que cuando la abuela me invitó hoy, pensé que quizás ella tenía noticias para mí, buenas noticias.

—Es demasiado tarde para las buenas noticias.

—¿Por qué es demasiado tarde? Creí que, después de lo que vimos hoy, te darías cuenta de que nunca es demasiado tarde.

—Para ti y para mí lo es —repitió ella.

—No me incluyas, Cindy. Cuando te vi hoy con Freddie en brazos, recordé...

—Sé demasiado bien lo que recordaste. Tengo eso y mucho más para recordar. —Quería herirlo, y de un modo extraño y perverso, del cual era completamente consciente y era incapaz de explicar, quería sentir ella misma ese dolor.

Andrew se sentó. Durante unos minutos se inclinó, con la cabeza entre las manos, sin hablar. "Está pálido y más delgado", pensó. "Parece vencido, así sentado." Sin embargo, quería seguir hiriéndolo.

—Estás removiendo todo —dijo, rompiendo el silencio—. No es justo lo que me haces. ¿No has hecho suficiente?

—Esa tonta mujer... ¿crees que significó algo, por el amor de Dios? Ni siquiera recuerdo su nombre, si es que alguna vez lo supe. No la reconocería si la viera en este momento.

—Ya me lo has dicho unas cuantas veces, creo. ¿Vas a irte o te vas a quedar sentado ahí toda la noche? Estoy congelada y quiero volver a la cama.

—No voy a irme, Cindy. Voy a quedarme aquí toda la noche si es necesario. Vuelve a la cama si tienes frío.

—¿Volver a la cama contigo en la habitación? ¡Debes de estar loco!

—No voy a tocarte. No ataco a las mujeres. No es mi estilo.

—¿De veras? Muy interesante.

De vuelta en la cama, Cynthia se cubrió con el acolchado y apoyó el libro sobre las rodillas levantadas.

—¿Cómo pudiste hacerme eso? —explotó.

—Cindy... no tengo excusa. Supongo que en un momento de locura, sólo necesité volver a sentirme vivo. Había estado muerto tanto tiempo...

—¿*Tú*? ¿Y yo? ¿Cómo estaba *yo*?

—Muerta también. Pero creo, supongo, que si hubieses hecho lo que yo hice, te habría perdonado.

"Sí, muerta", pensó Cynthia. "Hacía más de seis meses que no hacíamos el amor. Cuando tienes el corazón roto, lo que queda de ti se rompe también."

—No tengo excusa —repitió Andrew—. Repito que te hice daño y que lo lamento. Sí, estaba un poco loco.

—¿Muerto y loco al mismo tiempo? Qué extraño.

Andrew se levantó y se paró junto a la cama. "Pálido y delgado, igual que yo", volvió a pensar Cynthia. "Esto nos ha destruido a los dos."

—Has visto lo que sucedió hoy, y lo que pudo haber sucedido. El mundo es un lugar peligroso. Pero no dejamos de vivir por eso.

—Una filosofía muy noble —respondió ella con ironía.

—¿Qué más puedo decir, entonces, excepto pedir que volvamos a intentarlo?

—No puedo. —Estaba temblando. —No puedo volver a lo de antes. Ahora déjame dormir. ¿Te vas ahora?

Él sacudió la cabeza.

—¿Qué vas a hacer? ¿Quedarte sentado toda la noche?

—No. Dormiré en el piso.

—Maldito seas. Voy a apagar la luz.

Durante un largo rato permaneció despierta. El dolor en el pecho crecía con el peso sofocante de los recuerdos: los mellizos, la agonía, la traición.

El reloj en el descanso de la escalera dio la una. La una de la mañana. Quizás había dormitado un momento; a veces era imposible distinguir entre los sueños reales y los que se tienen despierto. No había ningún sonido en la habitación, ni siquiera un crujido. Probablemente Andrew se había ido mientras ella dormía. Extendió la mano hasta el velador y lo encendió.

Pero ahí estaba, dormido sobre el piso al pie de

la cama. Se había quitado la chaqueta, y siempre tan prolijo como ella, la había colgado del respaldo de la silla. En la habitación hacía demasiado frío para estar tendido en el piso en mangas de camisa. De la mecedora que había en un rincón Cynthia tomó una manta, una de las que seguramente había tejido la madre de la abuela, y lo tapó con ella.

Él no se despertó. Ella se quedó mirándolo. Yacía perfectamente derecho, sobre la espalda, como en un ataúd. La alianza no estaba más en su mano izquierda; había sido idea de él la ceremonia de anillos dobles. Necesitaba afeitarse. Hacia el final del día siempre necesitaba afeitarse otra vez.

Le resultó extraño pensar que ella era la única persona en el mundo que sabía todo sobre él, o tanto como puede saberse sobre otro ser humano. Sabía que se le llenaban los ojos de lágrimas cada vez que había un perro perdido en un libro o en una película. Sabía que llevaba un cepillo dental en su maletín y que en la intimidad de su casa, muchas veces comía con las manos.

Una pena completamente fuera de lógica la invadió.

Lo oí levantarse, le había contado Marian, *cruzar la habitación y caer*. Después dijo algo así como: *¡Perdimos tanto tiempo!*

Han sido demasiado orgullosos, había dicho Annette.

Y Aaron citó: "*El orgullo del hombre lo humillará*".

Temblando en el frío del cuarto, Cynthia se quedó allí parada.

"Maldito seas." ¡Estaba tan enojada! "Maldito seas", pensó, mientras las lágrimas caían por sus mejillas.

En sueños él debió de percibir la presencia de ella, pues abrió los ojos y pestañeó ante la luz del velador. Asustado, se incorporó.

—¿Pasa algo malo?

—Te tapé, eso fue todo.

Él miraba sus lágrimas, mientras ella miraba las manos de él. Estaban ampolladas y ásperas.

—Tus manos —dijo ella.

—Me quemé con la soga. No es nada.

—¿Estuviste así todo el día? ¿Por qué no pediste algo?

—No sé. Me pareció insignificante frente a todo lo demás.

—No tengo vaselina, pero un poco de crema facial va a servir por el momento.

Él se levantó, se sentó sobre la cama y extendió las manos. Los ojos de ella todavía tenían lágrimas mientras, suavemente, aplicaba crema en las manos de él.

Cuando terminó, él la miró durante un largo rato, y luego la tomó entre sus brazos.

—Maldito seas —dijo ella, y empezó a reírse.

—Empezaremos otra vez, Cindy. Podemos tenerlo todo otra vez. Créeme, todo. ¿Comprendes?

—Sí.

—Mi amor, apaga la luz. ¡Esperamos tanto tiempo!

* * *

“El cielo de diciembre puede ser de un azul tan profundo como el de mayo”, pensó Annette. Así fue a la mañana siguiente, cuando la casa se iba vaciando. En el vestíbulo, después del desayuno, todos recogían sus abrigos y sus pertenencias.

—Estaba pensando —murmuró Gene— en tu amiga Marian. Creerás que es una tontería, pero sabes, en cierto modo me recuerda a Susan.

—No es ninguna tontería. Un poco de dureza y mucha dulzura. Sí, me doy cuenta del parecido.

—Quizás algún día la llame. La invitaré al teatro o a algún otro lugar.

Un poco conmovida y a la vez divertida por la evidente timidez de su hijo, Annette se apresuró a responder:

—Por supuesto, ¿por qué no?

Ya estaban cargando los autos. Lewis y Daisy iban a volver juntos, mientras que Cynthia iba a volver con Andrew. Sólo había que mirar a esos dos para saber que habían dormido juntos. No obstante, Cynthia quiso asegurarse de que lo supiera.

—Gracias —le murmuró en el oído cuando la abrazó.

Annette le guiñó un ojo.

—¿Todo bien?

—Sí, abuela, muy bien.

Y así todos partieron. Annette se quedó observando cómo se alejaban por el sendero y por el camino hasta que desaparecieron. Al volverse para mirar la casa, recordó los versos de Robert Frost: *El hogar es allí donde deben recibirte cada vez que vas*. “Bueno, ninguno de los míos tuvo que venir; fui yo quien quiso recibirlos.” Y se preguntó si era necesaria una tragedia para que la gente valorara los tesoros del hogar y del amor. “Espero que no, pero a veces, quizá, sea necesaria”, se respondió a sí misma.

De vuelta en la biblioteca se detuvo frente al retrato de su esposo.

—Y bien, Lewis —dijo en voz alta—, hemos tenido algunos problemas desde que nos dejaste. Pero ya se han solucionado, te agradará saber. Ah, no soy tan inocente para creer, por ejemplo, que Gene y Aaron se convertirán en amigos íntimos; sus costumbres son demasiado diferentes. Pero por lo menos se aceptan ahora, de modo que, cuando vuelvan a encontrarse, parecerá natural, y los niños no sufrirán el veneno de la ira. Y nuestros hijos están juntos otra vez, gracias a Dios. Gracias a Dios también por Ellen y por Lucy, por Andrew y por Cynthia. Gracias a Dios por todo.

Afuera, el hielo se derretía en los árboles, y el Sol brillaba cada vez más al acercarse el mediodía. Era un día espléndido.

—Arriba, Roscoe, vamos a caminar —dijo—. Arriba, chicos. Buscaré mi abrigo. Vamos.